JN045851

民事訴訟の実務

小 林 昭 彦 〔著〕

発行 テイハン

は じ め に

　本書は、裁判官として、主として、大阪地方裁判所（陪席）、東京地方裁判所（陪席・裁判長）、東京高等裁判所（陪席・裁判長）で民事訴訟事件を担当した経験に基づいて民事訴訟の実務について書いた本です。

　私は、旧民事訴訟法の時代から、争点及び証拠をできる限り早期に整理した上で争点について集中証拠調べを行う審理方式（ごく自然に「集中審理」と呼ばれていました。）を少数派ながら積極的に試みていました。そういう私にとって、現行の民事訴訟法の下で、その集中審理が審理方式の標準となり、大多数の民事訴訟で集中審理が行われている現実は、まさに驚きであり、感慨無量というほかありません。

　この本では、まず、その民事集中審理の実務について紹介をした上で、裁判官の視点、審理において有用なツール、訴訟上の和解、控訴審の実務の各項目において民事訴訟の実務を紹介しています。この本が、民事訴訟に関わる方々に少しでもお役に立つことができれば誠に幸いです。

　本書の刊行については、株式会社テイハンの市倉泰氏（会長）、坂巻徹氏（代表取締役）、南林太郎氏（取締役・企画編集

部長）、栗原絵里子氏（企画編集部係長）、粟野貴氏（企画編集部主任）に大変お世話になりました。心から感謝を申し上げます。

2021 年 3 月

小　林　昭　彦

著者紹介

こばやしあきひこ
小林昭彦

〔略歴〕

1955 年長野県生まれ。79 年東北大学法学部卒業。81 年横浜地
方裁判所判事補任官。その後、米国ノートルデイム大学ロース
クール留学、長島・大野法律事務所研修。88 年東京地方裁判所
判事補。94 年大阪地方裁判所判事。その後、東京地方裁判所判
事、法務省民事局参事官、法務省大臣官房司法法制部参事官、
法務省民事局民事第二課長、東京高等裁判所判事、内閣官房内
閣審議官・司法制度改革推進室長等を経て、2009 年東京地方裁
判所部総括判事。東京地方裁判所民事部所長代行者、仙台地方
裁判所長を経て、14 年東京高等裁判所部総括判事。17 年福岡
高等裁判所長官。20 年定年退官。現在、総務省情報公開・個人
情報保護審査会委員（会長代理）。

〔共編著・共著・著書〕

『わかりやすい新成年後見制度〔新版〕』（有斐閣・2000）

『平成 11 年民法一部改正法等の解説』（法曹会・2002）

『一問一答 新司法書士法・土地家屋調査士法』（テイハン・2002）

『一問一答 新しい成年後見制度〔新版〕』（商事法務・2006）

『注釈 司法書士法（第 3 版）』（テイハン・2007）

『新基本法コンメンタール 民事保全法』（日本評論社・2014）

『新基本法コンメンタール 民事執行法』（日本評論社・2014）

『新成年後見制度の解説【改訂版】』（金融財政事情研究会・2017）

『坂道をゆく』（金融財政事情研究会・2020）

民事訴訟の実務

目　次

第1　民事集中審理の実務

1　民事集中審理の実務（再論）

一　はじめに

《集中審理とは、簡単に言えば、早期にできる限り争点及び証拠を整理し、その争点について的確な証拠調べ（実務上は、専ら証人尋問及び本人尋問を指して証拠調べと言っていますから、ここでもその用例に従います）を集中的に実施する審理のやり方です。ここでいう集中的とは、証拠調べをできる限り1回の証拠調期日で行うことですが、近接した2期日程度で行うことを含めてよろしいかと思います。

この集中審理は、いうまでもなく、適正な裁判を迅速に実現することを目指しています。争点を早期に明らかにし、その争点について的確な証拠調べを集中的に実施すれば、裁判官は、全部の証人及び当事者……について、直接、その証言態度、証言内容に接し、自ら観察した鮮明な証拠資料に基づいて判断することができますから、適正な裁判を迅速に実現することに適った審理方式であることは明らかです。》

私は、1996年（平成8年）12月に大阪（会場は、大阪経済法科大学）で開催された第3回日韓民事訴訟法共同研究集会（注1）において「民事集中審理の実務」と題する講演をする機会に恵まれた。上記は、その講演録（ジュリ1108号72頁（1997））の一部である。当時、大阪地方裁判所で民事訴訟事件を担当し

1

ていた。合議事件（週1回開廷）の右陪席を務めながら、単独
事件（週2回開廷）を担当し、その単独事件では、ほぼ全部の
事件で集中審理を実施していた。その集中審理の実務につい
て、実施例40件に基づいて報告をしたのが、上記の講演であ
る。

　この講演は、もちろん、旧民事訴訟法（明治23年法律第29
号。以下「旧法」という。）の下での民事集中審理の実務を紹介
したものである。当時、集中審理は、一部の裁判官による先駆
的な試みにすぎず、一般的な審理方式ではなかった。その後、
旧法を全面的に改正して「集中審理を眼目とする」（詳しくは後
述する。）現行の民事訴訟法（平成8年法律第109号。以下「新
法」という。）が1998年（平成10年）1月1日から施行され、
いまや、この集中審理が一般的な審理方式となっている（注2）。
旧法の下での民事訴訟実務を経験した者としては、新法による
驚異的な実務の改革であったと実感している。私も、上記の講
演の後、2009年（平成21年）4月になってから、ようやくでは
あるが、東京地方裁判所で新法の下での民事集中審理を実施す
る機会を得た。そこで、その経験をも踏まえて、「民事集中審理
の実務」について再論をしたい。

二　旧法における民事訴訟実務とその改善の試み

①　旧法における民事訴訟実務
　私が判事補に任官した1981年（昭和56年）当時の一般的な
民事訴訟実務については、やや曖昧な記憶であるが、「五月雨

式」とも揶揄された実務が相当程度行われていたことは否めないと思う。

《わが国の民事法廷の一般的な姿は、「3分間審理」という言葉に象徴されている。当事者本人が見ていても何をやっているかさっぱりわからない。要件事実を中心とする簡単な訴状と認否程度の答弁書に始まり、小出しの主張を記載した準備書面が口頭弁論期日に提出される。いずれも中味を読み上げたり説明することはまずなく、「陳述します。」の一言だけで済まされる。裁判官から詳しい釈明がなされることは珍しく、大抵「次回書面にて反論します。」とか「書面にして提出してください。」とかのやりとりで終わる。「口頭」弁論とは言うものの、実態は書面交換、書面督促の場と化した法廷が、半年1年と続くのである。その間、原・被告共、書面によって自己の有利と思われる主張と相手方の弱点と思われる点に対する攻撃を一方的に行い、一通り主張を終えた段階で争点の確認をすることもなく、ぽつぽつと人証調べに移るのである。その人証調べも主尋問だけやって反対尋問は次回になどということが珍しくなく、その間主張の変更や補充もまま行われる。こうした審理の状態を、いつのころからか「五月雨審理」とか「漂流型審理」と呼ぶようになり、これが長年の実務慣行として定着してきたのである。》

上記は、小山稔弁護士の「争点整理総論」(『新民事訴訟法体系』第2巻(青林書院・1997)210頁所収)での記述であるが、ほぼ私の記憶どおりである。そもそも、まず、大部分の手続は、法廷における口頭弁論で進行していた。そして、ほぼ上記の記

述のとおり準備書面の交換が行われ、ある程度、双方の主張が
出たところで、当事者本人や証人の尋問をするが、その際も、
主尋問に1回（又は数回）の口頭弁論期日を充て、反対尋問に
も1回（又は数回）の口頭弁論期日を充てることが少なくなく、
また、その尋問の結果を受けて、原告及び被告が新たな主張を
展開することもあった。その上で、さらに、当事者本人や証人
の尋問をし、それが完了した時点で口頭弁論を終結し、判決を
言い渡す。口頭弁論の形骸化であるとして非難を受けていたこ
とも間違いない。

②　改善の試みⅠ～「弁論兼和解」の興隆

　私の任官後の改善の試みで特筆すべきものは、争点整理にお
ける「弁論兼和解」である。現在は、「弁論兼和解」といっても、
何を意味するのかが分からない実務家が増えたのではないかと
思われる。が、かつて、弁論兼和解が民事裁判実務を席巻し、
猫も杓子も弁論兼和解というほどに興隆した時期があった。
1991年（平成3年）5月に発行された代表的体系書は、次のと
おり論述している。

　《最近では、裁判所のなかから、改善の積極的な動きが現れ、
それがかなり裁判所の実務に浸透しつつある。第一は、「弁論
兼和解」の方式である。これは、裁判所が、当事者の了解のも
とで、和解室または準備室などに当事者や代理人、場合によっ
ては関係人の出頭をもとめ、テーブルを囲んでの当事者の対話
をつうじて、事件の全貌を把握し、当事者間の争点がどこにあ
るかをしぼりこむとともに、状況によっては和解による決着を

みちびこうというやりかたである。したがって、これは、形式的には、準備手続的なものであるが、実質的には、法廷と違った話しやすい雰囲気のなかで実りのある口頭弁論手続ないし和解手続をすすめていくものである。これは、まだ裁判官ごとの試行的段階のものであり、全裁判所に共通したルールができたというものではないが、要するに、従来のような形式的な審理方法を改めて、実際に原告と被告が裁判官のまえで紛争についての法律上・事実上の主張をぶつけ合い、これを裁判官がきいて事件の全体像をつかみ、裁判所が、当事者間で真に争われている問題を的確に把握して、効率的な審理による訴訟の促進をはかろうとするものである。こうした形の弁論をつうじて当事者間に和解が成立する可能性もあるので、右の期日は「弁論兼和解」とよばれているが、訴訟のはじめの段階からこの方式がとられることによって、訴訟の促進はかなり期待できるものと思われる。》

　上記の論述は、林屋礼二『民事訴訟法概要』（有斐閣・1991）204 頁であり、当時の「弁論兼和解」の状況を示している（注3）。

　私は、1994 年（平成 6 年）4 月に法務省から大阪地方裁判所に異動し、前記のとおり、民事訴訟事件を担当し始めたのだが、多数の裁判官により弁論兼和解が行われていることを知り、早速、弁論兼和解を試みた。弁論兼和解では、「当事者と裁判所が膝を突き合わせた率直な意見交換を行うことによって早期に争点を明確にする」ことに主眼があるが、その最大のメリットは、1 件の事件に 30 分から 1 時間程度の時間を充てることができ

ることにあったと思う。前記のとおり、単独事件の場合は、週
２回開廷であり、その開廷時間（当時の大阪地方裁判所では、
午前10時から12時まで及び午後１時15分から午後４時まで）
の大半を証拠調べ（実務では、証人尋問及び当事者本人尋問の
ことを単に「証拠調べ」ということが多く、本稿でも、その例
に従う。）に充てる必要があったので、主張整理のための口頭弁
論は、１件に数分を充てることができるだけであった。前記の
「３分間審理」は、そのような時間的制約もあってのことと思わ
れる。弁論兼和解を和解室又は準備室で行うと、法廷を使用し
ないため、開廷日・開廷時間の制約を免れ、１件の事件に30分
から１時間程度の時間を充てることができた。したがって、裁
判所は、双方の訴訟代理人と徹底的に議論をして争点及び証拠
を十分に整理することによって、真の争点を明確化し、その争
点について的確な証拠調べをすることができるのである。

　ただし、弁論兼和解については、それが実務の創意工夫とし
て生まれたものであるため、根拠となる法律の規定が明確でな
く、その手続において行うことのできる行為の範囲も明確では
なかったし、その結果として、弁論兼和解と呼ばれる手続の中
で行われる事柄については、裁判官によって相当に差異がある
等の指摘もされていた。また、弁論兼和解といいながら、裁判
所は、和解の手続を進めるのみであって、弁論（争点整理）に
ついて熱心でないことが多いが、裁判所は、和解をしたいとい
う真の意図を隠して弁論兼和解を行っているのでないかという
指摘もあった。これらの指摘を踏まえて、私は、集中審理を始
めた頃に「弁論兼和解」の運用をやめて、争点整理を目的とす

るときは、双方の訴訟代理人の了解を得た上で、和解室又は準備室での「争点整理期日」（弁論期日）を指定していた。

③　改善の試みⅡ～集中審理（集中証拠調べ）

(1)　契機～「大阪地裁民事集中審理勉強会」

大阪地方裁判所在勤中に裁判官有志により「民事集中審理勉強会」が結成された（注4）。座長は、鳥越健治部総括判事であり、私がその鳥越判事の部の右陪席裁判官であったことから、その勉強会の幹事に指名され、「幹事である以上、至急、集中審理を実施して勉強会で最初の実践報告をするように」との指示を頂いた。以前から民事訴訟実務を変えたいとの思いを抱いていたこともあって（注5）、集中証拠調べを中核とする集中審理の試みに挑戦することとした。1994年（平成6年）9月頃のことである。その後の「民事集中審理勉強会」は極めて刺激的であった。他の裁判官の報告を参考にして集中審理の実務について（自分なりの）創意工夫を試みていた。

(2)　集中審理の内容

次いで、私が上記のような経緯で実践をしていた集中審理は、前記の私の講演「民事集中審理の実務」のとおりであり、おおむね次のようなものであった。

ア　争点整理について

当然ながら、当時の大多数の訴訟代理人は、集中証拠調べを経験したことがなく、負担が大きいと感じられることから、集中証拠調べに対して抵抗感を抱き、消極的であった。そこで、1期日又は隣接する2期日に集中的に証拠調べをするために

は、その上、双方の訴訟代理人の快い同意を得て実施するために
は、徹底した争点整理が不可欠であり、しかも、ある程度難
しい事案について徹底した争点整理をするためには、争点整理
案の作成が必要であると考えた。そして、そういう事案（全体
の6割程度）については、争点整理期日の前又は争点整理期日
間に争点整理案を作成し、それをファクシミリ等で双方の訴訟
代理人に送付し、次回の争点整理期日までに検討をしてほしい
とお願いをしていた。

　争点整理案の内容は、在来様式の判決書の「事実」と同様の
内容とする場合（事実摘示型）と新様式の判決書の「事案の概
要」と同様の内容とする場合（事案の概要型）を事案に応じて
使い分けていた（**注6**）が、事実摘示型を基本としていた。その
事案における重要な事実（主要事実と間接事実）と重要でない
事実（関連性のない事実）とを区別し、その重要な事実につい
て争いのない事実と争いのある事実（争点）を区別すること、
その争点について証明責任の所在を明確にすることにおいて、
事実摘示型の方が優れていると考えていた。また、争点整理案
の作成に際しては、訴状、答弁書、準備書面を十分に検討する
ほか、当事者の主張や認否等が明確ではない事実についても、
これを的確な書証等で認定することができる場合は、それを前
提として争点整理案を作成し、当事者に確認を求めていた。そ
うすると、当時の逸話であるが、争点整理案を見て、被告の訴
訟代理人から「当方の負けということですね。被告を説得して
和解をしたい。」旨の申出があり、早期に和解が成立したことが
あった。当時は、まだ要件事実を十分に理解せず、要件事実に

関係ない事情を長々と記載する準備書面等も決して珍しくなかった。その意味でも、事実摘示型は威力を発揮したと思う。しかし、上記の集中審理勉強会での議論を通じ、事案の概要型は、争いのない事実と争点が一目瞭然であって、分かりやすいとのメリットがあることを自覚し、徐々に事案の概要型を採用する場合が増加した。

　そして、争点整理期日では、争点整理案に沿って争点を確認し、その争点に関する双方の主張及びその主張を立証する方法を確認していた。争点整理に当たっては、本人や関係者に事情聴取をしたり関連する書証を探す等の必要が判明することも少なくなく、そういう場合は、争点整理期日を続行とし、事情聴取等の作業のスケジュールに照らし、準備書面や書証の提出期限を定めていた。そして、期日間に、提出された準備書面や書証等を踏まえて争点整理案を改訂し、その新しい争点整理案を双方の訴訟代理人に送付していた。

　争点整理案について最終的に双方の同意を得ると、その期日の調書に「当事者双方の主張は、別紙争点整理案記載のとおりである」等と記載し、その争点整理案を添付していた。口頭で争点を確認したときは、必要に応じて、その旨を調書に記載していた。当然ながら争点整理により争点が絞り込まれる。当時の統計では、実施例 40 件の全部について争点３個以内に絞り込まれ、争点が１個の事件が 12 件、２個の事件が 18 件、３個の事件が 10 件であった。

　また、集中証拠調べでは、争点に関する具体的な事情の十分な開示がないと同一期日に反対尋問や反証を行うことに支障が

生じかねないし、そのことを慮って、集中証拠調べに賛同していただけないおそれもあった。そこで、争点に関する具体的な事情を記載した陳述書の提出を求めていた。ただし、当時は、いまだ陳述書の提出に対する抵抗も相当にあり、「陳述書に代替する詳細な準備書面でも結構です」と申し上げざるを得なかった。陳述書と詳細な準備書面の割合は、ほぼ半々であった。

　書証の提出も争点整理において重要であり、例えば、契約書の成立が争点となる可能性のある事件で、契約書の提出を求めて、その署名及び捺印（印影）について認否を求めることやその事情について開示を求めることが不可欠であるし、的確な書証の提出によって争点が解消してしまうこともあり、書証の提出は、争点整理の進行に大いに役に立つ。また、集中証拠調べにおいて、主尋問で使用する書証が証拠調期日に提出されると、反対尋問や反証に支障が生じて集中証拠調べが難しくなるおそれがあることも考慮し、争点整理手続では、書証は、弾劾証拠を除いて、争点整理の段階で提出するよう促していた。実際にも、全ての事件で書証の事前提出は励行されていたのであって、当日に書証が提出されて集中証拠調べの実施が困難となった事例はなかった。

　イ　証拠決定について

　争点整理の最終的な段階では、争点の確認が終了し、その争点に関する具体的な事情に関する双方の主張が出揃い、また、その具体的事情を裏付ける書証が提出済みであり、その具体的事情についてどの証人（便宜上、証人及び当事者本人を「証人」

と総称する。）がどのような証言をする予定であるかが判明する（むしろ、そう判明するようにするのが争点整理の主目的である。）。そこで、次回を証拠決定期日とし、証人全部の申出を終えるように促していた。そして、その証拠決定期日では、申出のあった証人について、双方の訴訟代理人と争点との関連性等について協議をするが、争点整理手続を経ているため、双方とも十分に検討した上で申出をしていたことから、大多数の事案で申出のあった全部の証人を採用していた。その上で、証明責任に従って取調べの順序を決める。例えば、争点が請求の原因の事実であるときは、原告の申し出た証人が先であり、争点が抗弁の事実であるときは、被告の申し出た証人が先である。そして、主尋問と反対尋問の時間を決め、全部の証人の尋問時間を加算して証拠調べ期日を決めていた（例えば、その総尋問時間が2時間30分であれば、午後1時30分から4時までとし、4時間であれば、これに午前10時30分から12時までを加えていた。）。そして、以上のとおり決まった証拠決定の内容（取り調べる証人の特定、取調べの順番、証人ごとの主尋問及び反対尋問の時間）は、必ず調書に記載していた。

　ウ　集中証拠調べについて

　証拠調期日には、冒頭で、証拠決定の内容を具体的に説明して協力をお願いしていた。事案に応じて争点を再度確認したり、第三者証人に対して事案の概要を説明したりしていた。大抵の訴訟代理人は、争点整理を踏まえて、争点に関する具体的な事情を中心に的確な尋問をしていたため、大部分の事件で予定どおり集中証拠調べが実施されていた。

　また、証拠調べに当たっては、できる限り、全部の証人に全部の証拠調べに立ち会うようお願いしていた。そこで、例えば、A証人とB証人を順次尋問した場合、B証人の尋問において、「先ほど、ご覧になっていたとおり、A証人は、いまのあなたの証言とは違って、……と証言していましたが、どうですか」と尋問して証言の違いを質すことができるし、B証人の尋問の後に、A証人を再度尋問して同様の質問をすることもできた。

三　新法による集中審理の法制化

①　新法の眼目～集中審理

　中野貞一郎教授は、『解説　新民事訴訟法』（有斐閣・1997）36頁において、次のとおり解説している。

　《新法は、まず争点を早期に明確にし、証拠を整理したうえで、争点に的をしぼった効率的な証人尋問等を集中的に行うことによって、訴訟の適正・迅速な解決を図ろうとする。争点および証拠の的確な整理とこれに続く集中証拠調べを軸とする集中審理が、まさに、新法の眼目なのである。》

②　争点整理手続

　そして、新法は、争点整理手続（新法上の名称は「争点及び証拠の整理手続」であるが、実務では単に「争点整理（手続）」ということが多く、本稿では、併用する。）として、口頭弁論のほか、新たに、準備的口頭弁論、弁論準備手続、書面による準備手続を設けた。このうち、弁論準備手続は、「新法の設けた争

点整理3手続のなかの本命であり、旧法下の準備手続および弁論兼和解の系譜を継ぐ。……最近の実務から生まれ急速に普及した弁論的和解は、その発想と手法が弁論準備手続のなかに取り込まれており、理論上の疑念の払拭にも努めた。したがって、建前上、弁論兼和解は、新法下では消える。」（中野・前掲書37頁）とされていた。中野教授の予測どおり、新法下の実務では、大多数の事件で争点整理手続として弁論準備手続が採用されているし、「弁論兼和解」は跡形もなく消え去った（もちろん、裁判所は、訴訟がいかなる程度にあるかを問わず、和解を試みることができる（新法89条）から、弁論準備手続の際に和解を試みることもできるし、現に、多くの事件で和解が試みられて、そのうちの相当数が和解の成立に至っている。）。

また、争点整理手続における攻撃防御方法の提出時期について、旧法の「随時提出主義」が審理を長期化させる原因の一つとなっているといわれていたことから、新法は、充実した無駄のない審理を実現するため、随時提出主義を「適時提出主義」に改め、「攻撃又は防御の方法は、訴訟の進行状況に応じて適切な時期に提出しなければならない。」（156条）と規定している。

③ 集中証拠調べ

新法は、「証人及び当事者本人の尋問は、できる限り、争点及び証拠の整理が終了した後に集中して行わなければならない。」と規定している（182条）。この集中証拠調べについて、法務省民事局参事官室編『一問一答 新民事訴訟法』（商事法務研究会・1996）223頁は、次のとおり解説している。

《現在の実務では、いわゆる五月雨式審理として、争点およ
び証拠の整理と証人および当事者本人の尋問が並行して行われ
ることがあり、このことが訴訟遅延や充実した審理の妨げと
なっているとの指摘がされています。このような実務上の問題
点を解消するためには、準備的口頭弁論、弁論準備手続、書面
による準備手続という争点等の整理手続を活用し、事案の内容
に応じて、十分な争点等の整理を行い、証拠調べの対象である
立証すべき事実を明確にしたうえで、証人および当事者本人尋
問を集中的に実施することが望ましいと考えられます。そこ
で、このような理念が実現されるよう、明文の規定を設けるこ
とにしたのです。》

　また、中野教授も、前掲書44頁において、より端的に次のと
おり解説している。

《従来の訴訟審理が争点・証拠の整理を十分に行わないまま
弁論と証拠調べを成り行きしだいに重ねていくやり方をとって
きたのを改めるべく、新法では、集中審理主義をとり、まず争
点を早期に明確にし、証拠を整理したうえで、争点に的をし
ぼった効率的な証人尋問等を集中的に行う。》

　新法182条を受けて、新しい民事訴訟規則（平成8年最高裁
判所規則第8号。以下「新規則」という。）も、「争点及び証拠
の整理手続を経た事件については、裁判所は、争点及び証拠の
整理手続の終了又は終結後における最初の口頭弁論の期日にお
いて、直ちに証拠調べをすることができるようにしなければな
らない。」（101条）と規定しているが、争点及び証拠の整理手続
の後直ちに集中証拠調べを行うことは、民事集中審理の実務か

らは、当然のことである。また、「証人及び当事者本人の尋問の申出は、できる限り、一括してしなければならない。」（新規則100条）とも定められているが、この規定も、集中証拠調べを実施するためには、必要不可欠の規定である。さらに、前記のとおり、集中証拠調べを円滑に実施するためには、書証は、弾劾証拠を除いて証拠調期日前に提出される必要があり、「証人若しくは当事者本人の尋問又は鑑定人の口頭による意見の陳述において使用する予定の文書は、証人等の陳述の信用性を争うための証拠として使用するものを除き、当該尋問又は意見の陳述を開始する時の相当期間前までに、提出しなければならない。ただし、当該文書を提出することができないときは、その写しを提出すれば足りる。」（新規則102条）とも定められている。

④　新法の施行準備～「大阪地裁新民訴法研究会」

　1996年（平成8年）9月頃、新法の施行を目前にして、前記の大阪地裁民事集中審理勉強会のメンバーの一部を中心として新法の研究をしようという声が起こり、大阪大学法学部の池田辰夫教授を助言者として迎え、中田昭孝部総括判事を世話役として「大阪地裁新民訴法研究会」が発足した。当初のメンバーは、裁判官16人と書記官5人であり、2人ずつがコンビを組んで、同年11月から1997年（平成9年）12月までの間に9回に分けて、新法での実務において予想される解釈・運用上の諸問題について報告をし、その報告に基づいて協議や検討を行った。その報告は、その都度、判例タイムズ誌に掲載された上、単行本にまとめられて大阪地裁新民訴法研究会『実務　新民事

訴訟法』（判例タイムズ社・1998）として刊行されている。私
も、この研究会に参加したが、1997 年（平成 9 年）4 月の異動
が予定されていたため、早めに報告をすることとなり、太田朝
陽書記官とコンビを組んで 1996 年（平成 8 年）11 月に「争点整
理の準備」と題する報告を行った。当時は、まだ新法及び新規
則に関する解説書がほとんどなくて、その解釈や運用上の問題
点を指摘して解決策を編み出すことに苦労をした記憶がある。
もちろん、その後も異動直前まで上記の研究会に参加し、新法
施行に対するわくわく感や意気込みをひしひしと感じていた。

四　新法における集中審理の実務

①　私自身の集中審理の実務について

　前記のとおり、私は、新法施行準備に積極的に関与していた
が、その後、法務省や内閣官房に出向する等し、ようやく 2009
年（平成 21 年）4 月に東京地方裁判所勤務となり、12 年ぶりに
第一審で民事訴訟事件を担当し、新法の下で民事集中審理を実
施する機会を得た（2011 年（平成 23 年）2 月まで）。その際の
専ら単独事件における実務について紹介をしたい（注7）。

　(1)　争点整理手続について

　争点整理手続としては、専ら弁論準備手続を利用した。前記
のとおり、弁論準備手続は、旧法において盛んに利用された弁
論兼和解の進化した審理方法であり、その便利さから、迷うこ
となく弁論準備手続を採用した。もちろん、「当事者の意見を
聴いて、事件を弁論準備手続に付する」（新法 168 条）ことを要

するが、弁論準備手続に消極的であった訴訟代理人はなく、大多数の訴訟代理人も、争点整理を弁論準備手続により行うことは当然であると考えていたと思われる。

　そして、弁論準備手続の期日は、原則として30分（事案によっては、1時間）を予定し、その期日では、争点及び証拠の整理を徹底的に行うよう努めていた。前記の旧法の下での争点整理期日と同様である。そして、全部の事件について、争点及び証拠の整理と並行して、新様式による判決書の起案（判決書の作成）を行っていた（注8）（ただし、必要に応じて在来様式による主張整理も併せて行っていた。その利点は前記のとおりである。）。すなわち、まずは、争点整理に関する部分（具体的には、当時者欄、事実及び理由欄のうち「第1　請求」「第2　事案の概要」の部分）のうち、争点及び証拠の整理に並行して書ける部分をどんどん書いていくのである。事件記録を精査しながら書くことによって、事案（事件記録の内容）が頭に入るし、当事者の主張や証拠の矛盾点や足りないものなどが明らかになる。そこで、争点整理手続では、争点整理に関する部分を全部書くことができるよう、主張や証拠の矛盾点や足りないものなどを双方の訴訟代理人に示し、訴訟代理人と徹底的に議論をし、必要な釈明をし、その準備を促す等の作業をするのである。そして、判決書のうち争点整理に関する部分を全部書くことができた時点で争点整理は完了する。もちろん、争点及び証拠の整理と並行して、裁判所の判断部分（主文欄、事実及び理由欄の「第3　当裁判所の判断」の部分）のうち書くことができる部分も書き始めていたし、争点整理が完了する頃には、むろん

17

暫定的なものではあるが、裁判所の判断部分も書いてしまうこ
と（判決書の暫定的完成）がほとんどであった。

　争点整理では、原告の請求の内容（訴訟物、請求の趣旨）、争
点及び争点に関する当事者の主張が明らかになるし、当然なが
ら、争点についての立証や反証の方法、その可能性等について
も十分な議論が行われるから、弁論準備手続の最終期日におい
ては、証拠決定（証人の採用、取調べの順序、それぞれの証人
について主尋問及び反対尋問の予定時間の決定）をすることと
なるが、争点及び証拠の整理を徹底的に行うと、証拠決定手続
も円滑に行われるのであって、この証拠決定手続において訴訟
代理人と揉めた記憶はない（前記の旧法の下での実務と同様で
ある。）。もちろん、訴訟代理人との間で確認した争点について
は、必要に応じて調書に記載していたし、上記の証拠決定の内
容は必ず調書に記載していた（判決起案から争点整理に関する
部分を切り出して争点整理案を作成して交付することは原則と
してしていなかった。）。

　(2)　集中証拠調べについて

　証拠調べは、前記の新法及び新規則の規定どおり、争点整理
手続の終了後における最初の口頭弁論の期日に集中して実施し
ていた。その詳細は、前記の旧法の下での集中証拠調べと何ら
変わらない。

　ただし、旧法の下では、前記のとおり、そもそも集中証拠調
べをすること自体に積極的ではない訴訟代理人が大多数であ
り、その快い同意を得て集中証拠調べをすることについては、
争点整理案の作成及び交付など、裁判所としても、大いに労力

を費やし説得をして何とか集中証拠調べの円滑な実施に漕ぎ着けていたのだが、新法の下では、訴訟代理人は、集中証拠調べを当然のものであるとしており、多大な苦労を要せずに（ただし、争点と証拠の整理を徹底的に行っていたことは上記のとおりである。）、ごく自然に集中証拠調べを実施していた。そのことは、旧法の下で苦労して何とか集中証拠調べを実施していた私にとっては、「青天の霹靂」といってもいいほどの衝撃であった。

　また、陳述書についても、集中証拠調べにおいて必要であり、争点及び証拠の整理でも有用な手段であるところ、旧法の下では、提出していただくのにかなり苦労していたのであり、前記のとおり、陳述書の提出を嫌がる訴訟代理人も少なくなく、「陳述書に代替する詳細な準備書面でも結構です」と申し上げていたのであって、陳述書と詳細な準備書面の割合は、ほぼ半々であった。が、新法の下では、訴訟代理人は、陳述書の提出は当然であるとしており、争点整理の段階で、しかも、少なくない事件においてかなり早い段階で、積極的に陳述書を提出していた（**注9**）。これも大きな驚きであった。

(3)　判決起案について

　前記のとおり、全部の事件について、争点及び証拠の整理と並行して、判決起案をしていた。したがって、争点整理の手続が完了した時点で、判決書のうち、争点整理に関する部分は完成していたし（むしろ、この争点整理に関する部分が完成したから争点整理の手続が完了したのである。）、裁判所の判断に関する部分も書いてしまうことがほとんどであった。すなわち、

ほぼ全部の事件について、集中証拠調べの前に、暫定的なもの
ではあるが、判決書を作成していた。裁判所の判断に関する部
分までを書くと、集中証拠調べにおいて確認すべき事項が明ら
かとなり、その事項について訴訟代理人が質問をしないときは
（大半の事件では質問が行われていた。）、補充尋問でその質問
をしていた。ともあれ、法廷での集中証拠調べにおいて、直接、
証人の証言態度、証言内容に接し、自ら観察した鮮明な証拠資
料に基づいて、心証を確定していた。そして、集中証拠調べの
終了後、原則として、その日のうちに判決書を完成していた
（集中証拠調べの成果は直ちに活かすべきであって、和解勧告
をした場合も同様であったが、むろん、その日に和解が成立し
た場合は例外であった。）。集中証拠調べの結果、暫定的な判決
書を修正する必要が生ずることは当然であるが、暫定的な心証
を一部変更する必要がある場合があり、これを大幅に変更した
場合（例えば、原告敗訴を原告勝訴に変更した場合）もあった
が、法廷で、直接、証人の証言態度、証言内容に接し、自ら観
察した鮮明な証拠資料に基づいて判断した結果であるから、正
に集中証拠調べの成果であって、勇んで直ちに暫定的な判決書
を書き直していた。

　以上のとおり、争点及び証拠の整理の手続の進行に沿って判
決起案を進め、集中証拠調べ前までに暫定的な判決書を作成
し、集中証拠調べ後に直ちに判決書を完成する方式（判決起案
の前倒しという人もいるが、本来の在るべき方式であって、前
倒しではないと思う。したがって、「判決起案並行方式」とでも
いいたい。）の良い点は、何といっても、充実した争点整理及び

証拠調べを行うことができることにある。すなわち、口頭弁論の終結後に判決起案をすると（かつて私も経験したことがあるが）、複数の訴訟物の関係が曖昧であるとか、争点整理（当事者の主張の整理）が不十分であるとか、証人尋問で必要な質問をしていなかったとかに気付くことなどがあり、要するに審理が不十分であったことに気付くことがあるが、判決起案並行方式では、そういう事態は生じないからである。また、この方式の付随的な利点として、争点及び証拠の整理をしながら、とりわけ、立証可能性についても議論しながら、暫定的な心証に基づいて和解を試みると和解が成立する場合が多い（和解が成立しなくとも、訴訟代理人との議論により、暫定的な心証を検証することができる。）し、集中証拠調べの後、直ちに和解を試みても、心証が確定しているし、そもそもその前提として事案（事件記録の内容）が隅々まで頭に入っていることから、当事者も納得しやすく、したがって、和解も成立しやすいこと、口頭弁論の終結後に速やかに判決を言い渡すことができること、口頭弁論の終結後における「判決起案をしなければならない」とのプレッシャーやストレスから全面的に開放されること（判決起案並行方式の場合は、むしろ、徐々に判決起案が完成していき、やりがいさえ感じるから、裁判官にとっては、かなり大きな利点である。）である。

　(4)　和解について（注10）

　和解については、前記のとおり、争点及び証拠の整理手続で、裁判所の暫定的心証を説明し、訴訟代理人からの質問や反論等に応じて徹底的に議論をすると、訴訟の帰趨が見えてき

て、和解の機運が高まり、自然と和解手続に移行し、和解の成立に至ることが多かったと思う。また、集中証拠調べの後にも、証拠調べで確定した心証に基づいて和解を試み、その成立に至ることが多かった。

　そして、和解の手続では、訴訟代理人との和解協議を重ね、最終的に裁判所の和解案を提示するときは、努めて書面で提示していた。ある事件で和解案を口頭で提示したところ、被告の訴訟代理人から被告の役員会に諮る必要があるので書面でいただけないかと言われて、書面を交付したところ、被告の役員会の了承が得られ、無事に和解が成立したことが契機であった。交付する書面については、「次の和解条項案による和解を勧告する。」として裁判所名や裁判官名等を明記した上で、和解調書にそのまま添付することができるよう、細部まで具体的に書き上げた和解条項案を作成していた。もちろん、双方の訴訟代理人に対し、同時に交付していた。また、和解案の提示に当たって、当初の和解案に直ちには同意が得られないかもしれないと思われる事件（対立の激しい事件や和解条項が多岐にわたる事件）では、双方の意見を聞いて改訂する可能性があることも付言し、実際にも、数回にわたり、双方の意見を聞いて改訂を重ねてようやく和解の成立に至った事案もあった。いずれにせよ、この書面により和解案を提示する方法は、訴訟代理人にも好評であり、その和解成立率も相当に高かった。

②　民事訴訟実務全般について

東京高等裁判所において、2014 年（平成 26 年）7 月から

2017年（平成29年）2月まで、民事部の部総括判事（裁判長）として勤務したので、その際に事件記録から見た管内の第一審の民事訴訟実務全般（専ら争点整理と証拠調べ）について感想を述べてみたい。

　まず、全般的な印象であるが、前記のとおり、新法は、まず争点を早期に明確にし、証拠を整理したうえで、争点に的を絞った効率的な証人尋問等を集中的に行う集中審理を眼目とするところ、おおむね新法の眼目を目指して実務が運用されていると感じていた（注11）。

　次いで、個別に見ると、争点整理については、争点整理が的確に行われた事件が多いと感じたものの、中には、原告が提示する訴訟物を十分な整理をせずに羅列しているもの、当事者との十分な議論をしないまま、当事者の主張に引きずられて争点の絞り込みが十分ではないもの、事案に比して争点整理が長期間に及んでいるものなども散見された。また、訴訟代理人との間で確認した争点が調書に記載されている事例はごく少なかったし、調書に争点整理案の添付がある事件もほとんどなかった。ただし、中には、詳細で的確な争点整理案（双方が同意したもの）を調書に添付していたため、控訴審での控訴人の新たな主張が時機に遅れた攻撃方法であることが明らかであり、これを躊躇なく却下し、その訴訟代理人もやむを得ないとされた事件があった。

　また、証拠調べについては、大多数の事件で集中証拠調べが行われていたが、そうでないものも散見された。必要な陳述書の提出がない事件はほとんどなかった。中には、証拠調べを一

切せずに陳述書と書証だけで判断をしていた事件もあり、控訴審で証拠調べをした。前記のとおり、私も法廷で証拠調べをして陳述書等に基づく暫定的な心証を変更したことがあり、法廷での証拠調べが重要であることを大いに強調したい。

　和解については、これを試みることが相当な事案であるにもかかわらず、その試みがないものが意外に多かった。そのことが不満であったと述べる訴訟代理人もいた。いずれにしても、控訴審で和解が成立することも少なくなく、第一審でもう少し積極的に和解を試みた方が良いと感じた。

　さらにいえば、原判決の判断についても、明らかに常識に反する事実認定や事実の評価、全く独自の法解釈で到底受け入れることができないものなども散見されたが、第一審の争点整理手続や和解協議等で、裁判官がその時点における（暫定的な）心証なり見解なりを示して訴訟代理人と十分な議論をすれば、そのような誤った判断には至らなかったと思う。訴訟代理人との徹底した議論こそ、適正な裁判を実現する鍵であると確信している。

五　おわりに

　前記のとおり、新法は、争点を早期に明確にし、証拠を整理した上で、争点に的を絞った効率的な証人尋問等を集中的に行う集中審理を眼目とするところ、私は、旧法時代から、この集中審理を目指していたつもりであるし、新法によって、このような方式は一般的なものとなった。今後は、集中審理をより充

実したものとする更なる創意工夫が求められていると思われる。この論考が少しでもお役に立てば幸いである。

（注1）　この共同研究集会については、鈴木正裕教授の詳しい解説「第3回日韓民事訴訟法共同研究集会について」ジュリ1108号63頁（1997）をご覧ください。韓国側からも日本側からも錚錚たる学者及び実務家が出席された共同研究集会であり、畏敬する中野貞一郎教授が日本側の学者を代表して講演をされ、若輩の私が日本側の実務家を代表して講演をした。もちろん、大変光栄ではあったが、はりつめた気持であったことを思い出す。

（注2）　那須弘平弁護士（当時。後に最高裁判所判事）は、五月雨式審理が一般的であった1988年（昭和63年）に「集中審理再生のために」判タ665号15頁において「集中審理」を強く提唱されていていた。その先見の明に敬服する。

（注3）　「弁論兼和解」について、小林秀之編著『新民事訴訟法の解説』（新日本法規・1997）178頁（この部分の執筆者は、小林秀之・原強・畑宏樹）は、「弁論兼和解は、実定法上の根拠が全く存しないにもかかわらず、実務の知恵から生み出された手続で、最近の実務では完全に定着しているものである。弁論兼和解の標準的な方式は、公開の法廷でない和解室や準備室で一つのテーブルを囲み、インフォーマルな雰囲気の中で裁判官と当事者（必要があれば本人も出頭）が実質的な討論や和解のための話し合いを行い、争点や証拠の整理、弁論、書証の取調べ、和解勧試まで有機的に行う（ラウンド・テーブル方式とも呼ばれる。）。証人尋問までは行わないが、それ以前のほとんどの訴訟手続を行い、口頭による実質的討論により間接事実、

背景事情、書証の理解も容易で、裁判官も当事者も事件の見通しを
つけることができ、和解の機運も高まりやすいといわれている。こ
のため、一方では実質的な意味での口頭弁論の再生・活性化と評価
する向きもあったが、非公開の場所でそこまで訴訟手続を行うこと
が公開主義に反しないか、和解も行うこととの関係上双方審尋主義
に反しないか、などの厳しい批判も根強かった。」と解説している。

　また、「弁論兼和解」が生まれた経緯について、山本和彦「弁論準
備手続①－立法の経過と目的」(『新民事訴訟法体系』第2巻(青林書
院・1997) 248頁所収)は、「元来は和解期日において和解が成立しな
かったときにも当該期日を無駄にしないため、当事者が準備書面や
書証を持参して弁論行為も行うようにした実務的工夫に端を発す
る。しかるに、一部の裁判官は、これを争点整理のための手続とし
てより積極的に活用することを提唱・実践し、多くの研究者の支持
を得たのである。その利点としては、法廷ではなく準備室その他の
非公開の場で、裁判官と双方当事者が膝を突き合わせて事件につい
て実質的な討論を行うことにより争点整理が円滑化する点、法廷を
使わないこと及び書記官の立会いを必ずしも要しないことにより、
法廷や書記官の都合にかかわらず(非開廷日でも)実質的審理が行
える点、争点整理と和解とを容易に行き来でき、柔軟な訴訟進行が
図れる点などが指摘された。」と記述している。

(注4)　　「大阪地裁民事集中審理勉強会」について、詳しくは、鳥越健
治「大阪地裁民事集中審理勉強会報告の掲載を始めるに当たって」
判タ909号4頁(1996)をご覧ください。この勉強会の会員による
座談会「集中審理の実施と問題点」判タ909号7頁(1996)により当
時の集中審理の試みの状況がよく分かる。また、集中審理実施の概

要等を紹介したものとして松山恒昭・小林昭彦「集中審理実施票と会員に対するアンケートに見る集中審理の実際」判夕941号29頁（1997）がある。なお、私は、この勉強会の第2回会合で体験報告をした。その報告を大幅に改訂したものが、小林昭彦「集中審理実施報告」判夕909号38頁（1996）である。

（注5）　判事補のとき、アメリカのロースクールに留学して民事訴訟法を含むアメリカ法を学び、帰国後、法律事務所に派遣されてアメリカの連邦地方裁判所の民事訴訟事件2件を担当する機会に恵まれた。その経験からも日本の民事訴訟実務を変えたいとの思いを抱いていた。

（注6）　在来様式の判決書と新様式の判決書の違いについては、司法研修所編『10訂　民事判決起案の手引』（法曹会・2006）をご覧ください。

（注7）　裁判官及び弁護士が民事通常訴訟（主に単独事件）の訴訟運営の現状と展望について議論をした福田剛久ほか「座談会　民事訴訟のプラクティス（上）（下）」判夕1368号4頁及び1369号23頁（2012）があり、有益な議論がされている。また、控訴審や上告審まで含む民事訴訟実務に関する様々な質問に対して裁判官の視点から答える門口正人「連載　裁判最前線」（金融法務事情1981号〜2013号（2013〜2015）も裁判実務の実情を解説するものとして貴重である。

（注8）　新堂幸司『新民事訴訟法〔第5版〕』（弘文堂・2011）665頁は、「この新様式は、大筋において、争点・証拠の整理を尽くして中心的な争点を洗い出し、これについて集中的な証人尋問等を行うことによって、審理の充実と促進を図ろうとする平成8年改正法の狙いを、

判決の書き方に投影したものと評価できる」とされている。なお、上谷清「判りやすい判決書」（上谷清・加藤新太郎編『新民事訴訟法施行3年の総括と将来の展望』（西神田編集室・2002）295頁所収）は裁判官必読の論考である。この論考を読む度に、判事補1年目に上谷裁判長に時に厳しく時に優しく鍛えていただいたことを懐かしく想起する。

（注9）　須藤典明「実務から見た新民事訴訟法10年と今後の課題」民訴雑誌55号117頁（2009）も「陳述書は、新民事訴訟法になってすっかり実務に定着している」とされている。

（注10）　私も「判決と和解は事件処理の両輪」（武藤春光「民事訴訟における訴訟指揮について」司法研究所論集56号（1975）73頁。後に加藤新太郎編『民事訴訟審理』判例タイムズ社・2000）25頁所収）であると考えている。判決起案並行方式については、和解が成立すると判決起案（をしたこと）が無駄になるのではないかという見方もあるが、私は、常々、判決起案をしたからこそ和解が成立したと前向きに受け止め、和解の成立を判決起案の成果と考えていた。なお、上記の論考は、練達の裁判官の講演録であり、同じく練達の裁判官の講演録である佐藤繁「民事裁判について」司法研修所論集94号（1995）1頁（後に加藤編・前掲書427頁所収）とともに滋味深い内容である。

（注11）　新法施行10年の時点での弁護士の発言であるが、座談会「民事訴訟法改正10年、そして新たな時代へ」ジュリ1317号6頁（2006）で、秋山幹夫弁護士は、「私の体験している範囲では、改正の理念はかなり定着しているのではないかと思います。従来言われていた「五月雨式証拠調べ」とか「漂流型審理」というのは、ほとんど

なくなっているのではないかと思います。争点整理をきちんとした
上で、集中証拠調べを行って判断するというやり方がかなり定着し
ており、それによって審理が充実し、迅速化も図られていると言え
るのではないかと思います。……迅速化を図る反面、審理の充実が
疎かになるのではないかという懸念もあったわけですが、争点整理
が導入されたことによって、従来よりも主張や証拠の整理がきちん
と行われ、争点を意識して集中証拠調べが行われるようになったと
いう点で全体的にいえば充実化も図られているのではないかと思い
ます。」と発言されているし、司法研修所で開催された民事訴訟研究
会「改正民事訴訟法の 10 年とこれから(1)」ジュリ 1366 号 120 頁
(2008) で、清水正憲弁護士も、「私の知っている範囲でも、大体関西
のどこの裁判所でも弁論準備手続で争点整理をやって、集中証拠調
べをやるというプラクティスがおおむね定着してきているのではな
いかと思います。」と発言されている。

〔補足〕本稿は、「民事集中審理の実務（再論）」民事訴訟雑誌 64
号（法律文化社・2018）53 頁の再録です。「新法施行 20 年の節
目を迎えての民事訴訟実務に関する論考」として私が東京高等
裁判所部総括判事のときに執筆依頼があり、専ら地方裁判所で
私が行っていた集中審理の実務について書くとの前提でその依
頼を引き受け、構想を立てて書き始めていたところ、福岡高等
裁判所長官に任命され、その在任中に完成した経緯がありま
す。

2 民事集中審理の実務

一 はじめに

　私は、現在、大阪地方裁判所第25民事部に勤務し、裁判官として民事通常事件を担当しています。具体的には、合議事件（週1日開廷）の右陪席を勤めながら、単独事件（週2日開廷）を担当していますが、その単独事件では、ほぼ全部の事件で集中審理を実施しています。本日は、その単独事件における集中審理の実務について、最近1年間（平成7年10月から平成8年9月まで）の実施例（証拠調終了まで至った事件）40件に基づきまして、ありのままを正直にご報告し、皆様のアドヴァイス等をいただいて、更に審理方法について創意工夫を重ねていきたいと思います（実施例40件の内容は、平成7年10月以降作成して大阪地方裁判所の内部の勉強会に提出している「集中証拠調実施票」に基づいています。この実施票の雛型は、判例タイムズ909号5頁に掲載されています）。

　集中審理とは、簡単に言えば、早期にできる限り争点及び証拠を整理し、その争点について的確な証拠調べ（実務上は、専ら証人尋問及び本人尋問を指して証拠調べと言っていますから、ここでもその用例に従います）を集中的に実施する審理のやり方です。ここでいう集中的とは、証拠調べをできる限り1回の証拠調期日で行うことですが、近接した2期日程度で行うことを含めてよろしいかと思います。

　この集中審理は、いうまでもなく、適正な裁判を迅速に実現

することを目指しています。争点を早期に明らかにし、その争点について的確な証拠調べを集中的に実施すれば、裁判官は、全部の証人及び当事者（以下では、便宜上、まとめて「証人」といいます）について、直接、その証言態度、証言内容に接し、自ら観察した鮮明な証拠資料に基づいて判断することができますから、適正な裁判を迅速に実現することに適った審理方法であることは明らかです。以下では、集中審理の実務について、訴訟進行に従って、順次ご説明をしたいと思います。

二　争点整理手続

①　第1回口頭弁論期日前の準備

　現在は、早期に第1回口頭弁論期日（法廷）を指定する方法を採用していますから、第1回口頭弁論期日前に特に集中審理の準備としてすることはありません。訴状のほか、提出済みの答弁書、書証の写し等があればこれに十分目を通して、釈明事項の有無等を検討し、法律問題の調査等をする必要があればこれをすることは当然ですし、被告の欠席が予想される事件については、判決書を起案して、第1回の弁論期日に即日判決の言渡しができるように準備をしています。被告から電話等で書記官に対して和解を希望する旨の連絡があれば、原告の代理人に連絡を取って話合いをすることを助言することもあり、その結果、第1回の弁論期日に和解が成立することもあります。また、例えば、訴状の記載上、契約書が存在することが明らかな事案で、被告が答弁書でその契約書の成立を否認する旨の答弁

をしている場合に、原告に対して第1回口頭弁論期日までに契約書を書証として提出するように促す、といった具合に、適宜、書証の提出等を促して事件の進行を図ることもあります。

②　第1回口頭弁論期日の進行

　第1回口頭弁論期日では、まず、予想どおり被告が欠席した事件については、作成済みの判決書に基いて、即日、判決の言渡しをします。出席した被告及び原告の双方（代理人も含みます）が和解を希望した場合は、簡単な事案では法廷で和解が成立することもありますが、和解期日を指定して和解手続に移行することが多いのが実情です。

　被告が原告の請求を積極的に争う事件については、双方の代理人から、従前の交渉の経緯、今後の進行に関するご意見等をお聞きした上で、今後の進行について十分に協議をしています。その協議の結果、現段階で和解手続に移行することは難しいけれども、とりあえず争点整理手続に移行し、争点の整理がある程度できた段階でもう一度和解の話をするという結論に至ることもありますし、とても和解は無理だということで意見が一致し、判決を目指して争点整理手続に移行することもあります。原告及び被告の代理人の意見等に応じて、いろいろな進行方法があります。

　争点整理手続に移行する場合で、既に訴状、答弁書等によって双方の主張の概要が判明しているときは、直ちに争点整理期日（裁判官室等における争点整理のための弁論期日）の指定をします。被告の認否反論等が不十分な場合は、被告に対して認

否反論等の概要、その準備書面及び書証等の提出予定の有無、その提出予定時期等を聞いて、その提出期限を設定し、更に必要に応じて原告の準備書面及び書証等の提出予定の有無、その提出予定時期等を聞いて、その提出期限を設定する等の協議をしています。また、事件によっては、被告の代理人が本人の事情聴取が不十分なため、次回期日に更に進行について協議をしたい旨の申出をすることもありますし、比較的簡易な事件で、訴状、答弁書によって争点が明らかな場合は、双方の同意を得て直ちに証拠調期日を指定することもあります。

③　争点整理手続

（1）　争点整理期日の指定

　今申し上げましたとおり、第1回の弁論期日（法廷）で、既に訴状、答弁書等によって双方の主張の概要が判明しているときは、「次回以降は、裁判官室で争点及び証拠の整理をしたいと思いますが、いかがでしょうか」等と申し上げて、双方の代理人の了解を得ることができれば、裁判官室（和解室）における争点整理期日を指定しています（ただし、当事者の希望、事案の性質等に応じて、法廷又はラウンドテーブル法廷での争点整理期日を指定する場合もあります）。このように第1回口頭弁論期日に争点整理期日を指定している事件の割合は、6、7割程度であろうと思われます（実施例40件中、26件で第1回口頭弁論期日に争点整理期日を指定しました）。その後の弁論期日（法廷）において原告及び被告の主張の概要が判明した段階で、同様の提案をして双方の代理人の了解を得て争点整理期日

を指定することもあります。争点整理期日には、原則として1件当たり30分（事案によっては1時間）の時間を割り当てています。なお、争点整理期日は、双方の代理人と十分に協議をして争点整理をすることを目指している期日ですから、原則として本人の出席は求めていません。ただ、事案によっては、代理人が本人の説明を聞いて欲しい等と言って本人の出席を希望する場合もあり、その場合は、本人にも出席してもらいます。

(2)　争点整理案の作成及び送付

争点整理期日前又は争点整理期日間に記録を十二分に検討して準備することは当然ですが、ある程度複雑な事案については、争点整理案を作成して双方の代理人にファクシミリ等で送付し、その検討をお願いしています（争点整理案を作成している事件の割合は、6割程度でして、実施例40件中、21件で争点整理案を作成しました。なお、書記官が自主的に争点整理案を作成して私に提出する場合もあります）。

その争点整理案の内容は、事案に応じて、いわゆる旧様式判決の「事実」（事実摘示）と同様の内容とする方式（事実摘示型）といわゆる新様式判決の「事案の概要」と同様の内容とする方式（事案の概要型）とを併用していますが、原則として事実摘示型を採用しています。その事案における重要な事実（主要事実及び重要な間接事実）と重要でない事実（関連性のない事実）を区別し、その重要な事実について争いのない事実と争いのある事実（争点）を区別すること、その争点について証明責任の所在を明らかにすること——この2点において事実摘示型は優れていると思われるからです。

　争点整理案の作成に際しては、訴状、答弁書、準備書面の検討は当然として、書証等にも十分に目を通して、当事者の主張又は認否が曖昧であったり、知らない等と認否している事実で的確な書証によって認められる事実は、これを明確に記載し、又は認否欄でも認める旨の記載をして当事者の検討を促し、記録上どうしても不明な主張については、その旨を指摘して、これを明らかにするよう求めています。

(3)　争点整理期日

　争点整理期日では、最初に、主要事実のレベルでの争点の確認をします（事案によっては、既に明らかであって不要な場合も少なくありません）。原告の訴訟物及び請求の原因の事実を十分に確認し、その上で、被告の認否を確認します。例えば、請求の原因のAの事実に対して否認又は不知の答弁であれば、その理由（積極否認の事情等）を十分に聞きます。その返答次第で、原告に対し、Aの事実の間接事実等の事情を聞いたり、その事実を裏付ける書証、証人等の有無及び内容を聞いたり、他方で、被告に対しても、積極否認の事情等の詳細を聞いたり、その事実を裏付ける書証、証人等の有無及び内容を聞いたり、といった具合でして、抗弁、再抗弁といった主張についても、同様の作業をするわけです。むろん、代理人間で同様の質疑討論をすることもありまして、事案に応じて柔軟に協議を進めることが肝要だと思います。訴状、答弁書、準備書面に既に十分に事情等が記載されている場合には、これを簡単に確認すれば済んでしまうこともあり、第1回の争点整理期日に争点の整理が完了する場合もありますが、例えば、原告の代理人が抗弁の

　Bの事実を否認する事情について更に事情聴取等の調査をして次回の争点整理期日までに調査の上で準備書面を提出したい旨の申出をするといった具合に次回の争点整理期日までに双方の代理人がする作業が決まってきて、続行することもあります。続行をする場合は、双方の代理人が次回期日までにする作業の内容を十分に確認し、その内容及び期限等を調書に記載しています。したがって、争点整理期日の回数は、一回の場合もありますし、数回を重ねる場合もあります。なお、この争点整理期日には必ず書記官が立ち会って協議に参加していますし、すべての手続を双方代理人対席で行っています。

　争点整理手続によって争点の整理を徹底して行いますと、争点が減少します。すなわち、当初は相手方が認めないために争点であると思われた主要事実について、具体的な事情の開示、書証の提出、証人の開示等を受けて、立証可能性について十分な協議をすると、相手方がその事実を認めて（認めないまでも、事実上、書証等で認定して構わない旨の返答を受けることもあって）争点の全部が解消してしまう事件も結構ありますし、争点が残るとしても1個、2個又は3個程度に絞り込まれます（実施例40件中、争点が1個の事件が12件、2個の事件が18件、3個の事件が10件です）。争点が解消してしまった場合は、不利な判決を受ける方の代理人から和解の申出があって、和解の成立に至ることが多いのですが、和解の成立に至らず、そのまま自白による判決又は法律上の争点に関する判断のみを示す判決を言い渡すこともあります。また、争点は残るのですが、双方の主張している事情、提出済みの書証、予定している

証人の証言内容等から判断して立証又は反証が難しいと判断された方の代理人から和解の申出があって、和解の成立に至ることも少なくありません。

　このようにして和解が成立する事件が多いのですが、双方の代理人が和解の成立を諦めて証拠調べ及び判決に至ることもやむを得ないと判断された事件は、証拠調べに進むことになります。もっとも、双方の代理人から争点について書証（陳述書を含む書証の場合が多いのですが、陳述書がない場合もあります）だけで判断して欲しい旨の申出があって、証人尋問をしないで弁論を終結して判決に至る事件も 1 ヵ月に数件程度はあります。

　証拠調手続に進む場合は、裁判所と双方の代理人との間で十分に争点の確認をします。争点整理案を作成している場合は、双方の代理人の同意を得ることができる段階まで争点整理案の改訂を重ねることもあります。その場合は、双方の代理人の同意を得た段階で、その争点整理期日又は証拠決定期日の調書に「裁判所及び当事者双方・現段階における当事者双方の主張は、別紙争点整理案（第 2 版）記載のとおりであることを確認する」等と記載し、その争点整理案を調書に添付しています。この場合には、双方の代理人に証拠調終了後の主張の変更は自由ですと申し上げていますが、証拠調終了後の主張の変更は皆無に近いと思われます（実施例 40 件中、証拠調終了後に主張の変更があった事件はありません）。争点整理案を作成していない場合は、口頭で争点を確認して調書に記載する場合もありますが、争点が明確な場合は調書に記載していません。

(4)　事情の開示（準備書面・陳述書）

　いま申し上げましたとおり、争点整理では、ある事実（主要事実）の具体的な事情を聞いて、その事実が真の争点であるかどうかを確認しますから、真の争点を的確に把握するためには、その事情（間接事実を含む関連性を有する事情）の開示が不可欠なことはいうまでもありません。むしろ、その事情の有無こそが証拠調べの対象となる争点ということができるでしょう。したがって、争点整理の過程で、しばしば、双方の代理人に争点（正確に言えば、争点になる可能性のある事実）に関する具体的な事情をお聞きし、その事情を準備書面に書いていただくようにお願いしています。代理人によっては、準備書面よりも陳述書を好まれる方もいますし、事案によっては、準備書面でも陳述書でも結構ですと申し上げています。

　また、証拠調べでは、争点に関する具体的な事情の十分な開示がないと、同一期日において、相手方の代理人が反対尋問、反証等を実施することに支障が生ずるおそれがあります。そこで、集中審理を実施する場合は、とりわけ、争点に関連する具体的な事情の十分な開示が重要です。したがって、争点整理の過程で具体的な事情が十分開示されることが普通ですが、その具体的な事情が十分開示されていない場合は、証拠調べに先立ちまして、争点に関する具体的事情の開示を求めます。その場合も、通常は、準備書面でも陳述書でも結構ですと申し上げていますが、証拠調直前の段階のせいか、陳述書を利用される代理人の方が多いように感じます。

　陳述書の利用方法としては、このほか、主尋問を補助又は補

充するために陳述書を利用する代理人もいますし、あまり重要
でない証人について証人尋問の申出に代えて陳述書を提出して
済ませるという代理人もいます。このように陳述書がいろいろ
な目的で利用されているのが現状でして、大体の印象では、証
拠調べに至る事件のうちの約半数の事件で、陳述書の提出があ
るものと思われます。実施例40件中、陳述書の提出のあった
事件は、ちょうど半数の20件で、内訳は、1通の事件が7件、
2通の事件が12件、3通の事件が1件です。

(5)　証拠の開示（書証の提出・予定証人の開示）

証拠の開示も事情の開示と同様に重要です。まず、書証の提
出について申し上げますと、例えば、契約書の成立が争点とな
る事件で、契約書の提出を求めて、署名及び捺印（印影）につ
いて認否をしてもらうことやその事情について開示を求めるこ
とが争点整理に不可欠なことはいうまでもありません。また、
的確な書証（登記簿謄本、課税証明書、医師の診断書等）が提
出されることによって争点が解消してしまうこともしばしばあ
ります。このように書証は、弾劾証拠を除いて、争点整理の段
階で提出をしてもらうことが争点整理の進行に大いに役に立ち
ます。他方で、集中証拠調べでは、主尋問で使う書証が当日に
提出されますと、相手方の反対尋問、反証等に差し支えが生ず
るおそれがありますから、この意味でも、弾劾証拠を除いて、
書証の提出は早期にしてもらう必要があります。また、先に申
し上げましたとおり、争点に関する事情を証人によって立証を
する予定のときに、その証人及び証言内容をあらかじめ開示し
ていただくことも重要です。

三　証拠決定手続

①　証拠決定期日の指定

　以上のとおり、争点整理手続では、通常、ある主要事実について、その具体的事情の提示をその事情を裏付ける書証及び証人の開示と共に求めて協議をしますから、争点整理の最終的な段階では、主要な争点の確認が完了し、同時にその争点についての具体的事情に関する双方の主張が出揃い、また、その具体的事情を裏付ける書証が提出済みで、どの証人がその具体的事情についてどのような証言をする予定であるかが大体判明します。そこで、争点整理がほぼ終了した段階で、「次回は証拠決定をしたいと思いますから、いままでの協議に基づいて争点に関する証人全部の申出をしてください」等と申し上げて、証拠決定期日を指定します。

②　証拠決定期日

　証拠決定期日では、申出のあった証人について、双方の代理人と争点との関連性等について再度確認のための協議をしますが、通常は、双方の代理人も十分吟味をして申出をしているため、大多数の事案で申出のあった全部の証人を採用しています。実施例 40 件中、33 件で申出のあった全部の証人を採用しました。その余の 7 件についても、双方の代理人と協議してその証人を採用しないことについて了解を得ています。なお、実施例 40 件中、申出のあった証人の数は、2 人が 21 件、3 人が

12件、4人が5件、5人が2件で、1件当たりの平均値は約2.7人です。採用した証人の数は、2人が28件、3人が7件、4人が4件、5人が1件で、1件当たりの平均値は約2.5人です。なお、証人の申出が双方で1人だけの事件も結構ありまして、この場合も集中証拠調べといって差し支えないでしょうが、当たり前過ぎて実施例として数えてはいません。

　その上で、争点に関する証明責任に沿って取調べの順序を決めます。争点が請求の原因の事実であれば、原告側の証人が先ですし、抗弁の事実であれば、被告側の証人が先といった具合です。先ほど申し上げたとおり事実摘示型の争点整理案の利点は、この順序が直ちに決まることにあります。その上で、採用した全部の証人の尋問時間について協議をします。例えば、証人Aについて、申出をした原告の代理人に主尋問の時間を聞いた上で被告の代理人に反対尋問の時間を聞くといったことを全部の証人についてします。この場合も、通常は、双方の代理人が十分吟味をして尋問時間の申出をしているため、申出のあった尋問時間をそのまま採用することが多いように思われます。実施例40件の全証人98人のうち記録の残っている90人について尋問時間を見ますと、主尋問の時間は、10分が5人、15分が8人、20分が14人、30分が27人、40分が24人、50分が5人、60分が7人で、30分及び40分が過半数を占めて、平均時間は約32分です。反対尋問の時間は、10分が10人、15分が17人、20分が26人、30分が26人、40分が8人、50分が2人、60分が2人で、20分及び30分が過半数を占めて、平均時間は約24分です。したがって、証人1人当たりの平均的な尋問時

間は約 56 分です。

　そして、全部の証人の尋問時間を加算します。その総尋問時間が 2 時間であれば、「午後 1 時 30 分から 4 時でどうでしょうか」と申し上げますし、3 時間であれば、「午前 10 時 30 分から 12 時までと同日の午後 1 時 30 分から 3 時 30 分までででどうでしょうか」と申し上げるわけです。大抵は、双方の代理人とも「結構です」と言って具体的な証拠調期日の指定作業にはいります。証拠調期日は、裁判所の期日には常に空きがありますから、1、2 週間先の日であっても指定できるのですが、代理人と証人との打合せ等の準備期間も必要ですし、双方の代理人のスケジュールがあわないという事情もあって、証拠決定期日の 1 ヵ月又は 2 ヵ月先の日を証拠調期日に指定している場合が大多数であると思われます。

　実施例 40 件の総尋問時間について見ますと、2 時間 30 分未満が 30 件、2 時間 30 分以上が 10 件です（1 件当たりの証人数の平均値が約 2.5 人で、尋問時間の平均値が約 56 分ですから、1 件当たりの総尋問時間の平均値は約 2 時間 20 分ということになります）。証拠調期日の指定に際しては、必ずしも尋問時間どおりに進行しないことや休憩時間を取ること等を考えて、多少は時間に余裕をもって枠を設定することが重要です。なお、尋問時間の関係で丸 1 日が必要となった場合等に「2 回に分けてください」と言って 1 回の期日に反対される代理人の方もいます。その場合は、双方の代理人と十分に協議をし、その結果、近接した 2 回の期日に分けて証拠調べを実施することもあります。また、総尋問時間が 4 時間を超えますと、1 期日

（大阪地方裁判所の場合、午前 10 時 30 分から 12 時まで及び午後 1 時 30 分から 4 時までが証拠調べの時間ですから、最大限で 4 時間です）で証拠調べを終えることはできず、2 期日で設定せざるを得ません（実施例 40 件中、総尋問時間が 4 時間を超える事件は 4 件ありました）。しかし、大多数の事件は 1 期日で設定しているのが実情です（実施例 40 件中、1 期日の事件が 30 件、2 期日の事件が 9 件、3 期日の事件が 1 件です）。

　以上の証拠決定期日には必ず書記官が立ち会い、必要に応じて進行等についての意見を述べています。したがって、協議が終了すれば、書記官は、証拠決定期日の調書に証拠決定の内容を具体的に、例えば「裁判所及び当事者双方・証拠調べを次のとおり実施する。平成 8 年 12 月 1 日午後 1 時 30 分から 4 時まで。①証人A（主尋問 20 分・反対尋問 20 分）、②原告本人（主尋問 30 分・反対尋問 20 分）、③被告本人（主尋問 20 分・反対尋問 10 分）。なお、証拠調終了後、弁論を集結する予定である」等と記載しています。

四　証拠調手続

①　証拠調期日の準備

　証拠調期日の前には、出頭しないおそれのある証人の場合に、書記官が予め代理人に連絡を取って証人の出頭の確認をすることもあります。残念ながら、証人が病気、事故等の理由で出頭しない旨の連絡があって、証拠調期日の変更をせざるを得ない場合もあります。証人が正当な理由がないにもかかわらず

出頭しない場合もあって、どうしようか悩みますが、通常は、証拠調期日の変更をしています。集中証拠調べの場合、1人の証人の不出頭によって丸1日、午前又は午後全部の証拠調べが変更になることが時々ありますが、そのような事態が生じても、なお、集中審理のメリットの方が大きいと考えています。

②　証拠調期日

証拠調期日には、冒頭で、代理人双方、当事者双方、証人全員に対し、証拠決定の内容を具体的に申し上げて双方の代理人の協力をお願いしています（事案等に応じて争点を再度確認する場合もありますし、第三者証人に対して事案の概要を説明することもあります）。大抵の代理人は、争点整理を踏まえて、争点に関する具体的な事情を中心に的確な尋問をしていると思います。多少の時間の超過は見込んで期日を指定していますから、大部分の事件で、予定の証拠調期日に証拠調べが終了していますし、終了予定時刻の30分前程度に完了することも珍しくありません（実施例40件中、予定の期日に証拠調べが終了せず、続行せざるを得なかった事件は3件だけです）。

また、できる限り、全部の証人に全部の証人尋問に立ち会っていただくようにお願いしています。そうすると、例えば、A証人とB証人の尋問を予定している場合に、通常は、A証人の尋問の際にB証人に在廷していただき、B証人の尋問の際に「先ほどA証人は、あなたの今の証言と違って、……と証言していたけれども、どうですか」等と質問できますし、更に、B証人の尋問の際にA証人に在廷していただき、B証人の尋問後に

再度A証人を尋問して同様の質問をすることもあります。実際の事例は少ないのですが、A証人とB証人を対質で尋問することもあります。集中審理の利点の1つは、全部の証人が一堂に会していて上記のようなやり方が自由にできることにあると思います。

③　弁論の終結及び判決言渡期日の指定

　証拠調べの終了後、その内容等に応じて和解の希望を再度打診する場合もありますが、先ほど申し上げましたとおり、証拠調べにはいる事件は、双方の代理人が和解の成立を諦めて判決に至ることもやむを得ないと判断している事件ですから、代理人が和解を希望する事件は少数です。和解手続に移行しない多数の事件では、弁論を終結して判決の言渡期日を指定します。代理人から最終準備書面を提出したい旨の申出があった場合は、その提出予定日を聞いて、その日を最終準備書面の提出期限にした上で、弁論を終結して判決の言渡期日を指定しています。（例外的に最終弁論期日を指定することもあります）。なお、できる限り、弁論終結の日又は最終準備書面の提出期限の日から3週間（せいぜい4週間）以内の日を判決言渡期日に指定するように努めています。

　集中審理を実施した場合の訴状の受理から判決の言渡し、和解の成立又は訴えの取下げまでの期間について見ますと、実施例40件中、6ヵ月未満が8件、6ヵ月以上1年未満が23件、1年以上1年6ヵ月未満が6件、1年6ヵ月以上が3件でして、大多数の事件が1年未満に判決の言渡し等に至っています

（なお、1年6ヵ月以上を要した事件には、双方の当事者の希望
に応じて和解手続を長期間続けていた等の特殊な事情があり、
正味の審理期間は1年程度です）。また、担当事件数（未済事件
数）の推移についてみますと、私が集中審理を開始した平成6
年9月当時は230件台でしたが、その後漸次減少し、平成8年
6月には140件台になり、以後は、ほぼ同様の数字で推移して
います。

五　おわりに

　集中審理の実施についての留意点ですが、まず、第1には、
双方の代理人（当事者）の理解と努力を得ることが重要です。
訴訟の進行協議、争点整理手続、証拠決定手続、証拠調べの実
施等のすべての場面で双方の代理人と十分に協議を重ね、その
快い了解を得て訴訟の進行を図ることが肝要です。次いで、書
記官の理解と協力も不可欠です。先に申し上げましたとおり、
書記官が争点整理期日、証拠決定期日等に立ち会い、その協議
に参加して共通の認識を得ること、その認識に基づいて訴訟運
営に協力していただくことが重要です。私の現在の担当書記官
は、太田朝陽書記官と三栗清之書記官ですが、2人とも、集中
審理について十分に理解し、最大限の協力をしていただいてい
ますし、新たな審理方法を一緒に考えて挑戦してもらっていま
す（なお、太田朝陽書記官が書いている「集中審理における書
記官事務」判例タイムズ922号78頁を参照してください）。
　以上の双方の代理人と書記官の理解と協力を得た上で、事案

に応じた的確な争点整理をすることが集中審理のキーポイント
であると思います。ある程度複雑な事案では、争点整理案を作
成することが効率的ですし、書証の早期提出及び証人等の開示
をしていただきながら、争点に関する具体的な事情を十分に明
らかにすることが集中審理の成功の秘訣であると思います（集
中審理が失敗することもあって、その度にその原因を考えて反
省をし、次回は成功するように頑張ろうと決意を新たにしてい
ます）。

　最初に申し上げましたとおり、争点整理手続によって早期に
争点を確認し、その争点について集中証拠調べを実施すれば、
裁判官は、全部の証人について、直接、その証言態度、証言内
容等に接し、自ら観察した鮮明な証拠資料に基づいて判断をす
ることができますから、これによって、適正な裁判を迅速に実
現することが可能となるものと思います。集中審理のメリット
は、この点にあります。

　残念ながら、従前の五月雨（さみだれ）式の審理では、十分
な争点整理をせず、証拠決定の協議もしないまま、漫然と証人
１人を採用して証拠調べを始めることがあったと思います。そ
の上、主尋問を実施して、その数ヵ月後に反対尋問を実施し、
その後、次の証人を採用する、といった審理もありました。か
つてある裁判所で私が引き継いだ事件ですが、既に受理後７年
を経過していまして、担当の裁判官も私が４人目でした。従前
は、１人の証人の主尋問及び反対尋問にそれぞれ２期目を費や
すといった審理の進行状況でしたから、ちょうど５人目の最後
の証人の反対尋問から引き継いだのです。しかし、その証人は

勝敗には関係がなく、最初の３人の証人が重要だったのですが、調書しかありませんし、そもそも、その証言内容等から見て、主要な争点に関する主張が不十分で、証人尋問の終了後に主要事実を含む争点整理を徹底的にせざるを得ませんでした。こういう審理は決してやるまいと思いまして、適正な裁判を迅速に実現することを目指して、できる限り集中審理を成功裡に実施したいと考えている次第です。

［後記］日韓民事訴訟法共同研究集会における報告という栄誉ある機会を与えていただき、鈴木正裕先生をはじめとする関係者の方々に深く感謝しています。また、当日は、金洪奎（キム・ホンギュ）先生をはじめとする多数の先生方から貴重な助言を賜わることができました。心からお礼を申し上げます。

［補足］本稿は、「民事集中審理の実務」ジュリスト 1108 号（有斐閣・1997）72 頁の再録です。1996 年（平成 8 年）12 月に開催された第 3 回日韓民事訴訟法共同研究集会における講演の依頼があり、当時、大阪地方裁判所判事として取り組んでいた民事集中審理の実務について報告をしました。その講演録が本稿です。ちなみに、後日、韓国側から依頼があり、本稿の韓国語訳が韓国の大韓弁護士協会誌『人権と正義』に掲載されています。大変光栄なことです。

コラム　① 民法・民事訴訟法

　裁判官として民事訴訟（とりわけ、通常訴訟）を担当していると、最も重要で最も頻繁に使う実体法は、間違いなく民法です。私法全体の基本法でもあります。したがって、私は、手元には常に分野別（総則、物権法、担保物権法、債権総論、債権各論、不法行為、親族法、相続法）の最新の体系書で信頼できるものを用意していました。詳細な注釈書を参照する必要も生じますが、冊数も多く手元に備えるのは難しいため、裁判官室の備付けのものを利用していました。

　民法については、もちろん、大学（東北大学）で基礎を学びました。当時の民法講座は、幾代通教授、鈴木禄弥教授、広中俊雄教授が担当されていて、いずれの教授にも学生時代に基礎を叩き込んでいただいたと感謝しています（**コラム④**幾代通先生の想い出と不動産登記法の改正で詳しく紹介します。）。また、後に法務省民事局参事官として民法を担当しました。立案作業としては、成年後見制度の創設を担当し、法制審議会等で他の委員や幹事の方々との質疑応答や議論を通じて大いに勉強をすることができました。とりわけ、法制審議会民法部会の部会長で成年後見小委員会の小委員長を兼ねておられた星野英一先生には特にご指導を賜りました（**コラム⑤**鮮やかな手捌きで詳しく紹

介します。)。また、法務省時代に通算で４年間ほど司法試験の民法の考査委員を務めました。やはり、他の考査委員の方々との徹底した議論も刺激的でした。これらの法務省での経験は、裁判所に戻ってからも大いに役に立ったものと思います。

　手続法としては、間違いなく、民事訴訟法が最も重要ですし、民法と同様に最新の信頼できる体系書や詳細な注釈書を手元に置き、少しでも疑問が生じたときは参照していました。

　民事訴訟法についても、基礎は大学で学びました。林屋礼二教授に教えていただきました。そのときは、まだ林屋教授の体系書が出ていなかったこともあり（注1）、とても丁寧で分かりやすい講義を聴いて詳細なノートを作成していました。そのノートは、大学卒業後、司法修習生や判事補になってからも役に立ちました。また、大阪地方裁判所に勤務していたとき、先輩裁判官のすすめにより、日本民事訴訟法学会の会員になり、その学会の月例の関西支部研究会に参加していました（注2）し、日韓民事訴訟法共同研究集会で「民事集中審理の実務」と題する講演をする機会にも恵まれました（注3）。ともあれ、日本民事訴訟法学会の会員になったことから、民事訴訟法の最先端の議論について勉強する機会が増えました。

　ちなみに、司法試験の考査委員の経験について付加しますと、法務省に勤務していたとき、憲法の考査委員を２年間ほど務めましたし（注4）、裁判所に戻ってからも、１年

間だけですが、商法の考査委員も務めました。

（注１）　後に林屋礼二『民事訴訟法概要』（有斐閣・1991）が出て、早速、購入しました。現在発行されているのは、『新民事訴訟法概要〔第２版〕』（有斐閣・2004）です。

（注２）　この研究会には中野貞一郎教授、鈴木正裕教授、高橋宏志教授ら錚々たる法学者が参加されていて、その議論に接するだけでもとてもいい勉強になりました。また、その研究会で「外国判決の執行判決について」と題する報告をしました（判例タイムズ 937 号（判例タイムズ社・1997）33 頁。）。後記のとおり、日本の法律事務所で米国連邦地方裁判所での民事訴訟事件を担当した経験から外国判決の執行判決について興味を持っていたからです。なお、東北大学在学中に中野貞一郎教授の秀逸の「強制執行法」を夏季の集中講義で拝聴して感銘を受けました。研究会後の懇親会で中野先生にその旨を申し上げ、中野先生も東北大学での集中講義のことを想起されて懐かしいと述懐されていました。

（注３）　「民事集中審理の実務」ジュリスト 1108 号（有斐閣・1997）72 頁〔本書に再録しています。〕。

（注４）　憲法の考査委員も貴重な経験でした。とりわけ、民事訴訟の実務において問題になることがほとんどない憲法の論点（例えば、統治機構に関する論点）を含め、日本を代表する憲法学者との議論は大いに勉強になりました。憲法の基礎は、大学時代、小嶋和司教授の憲法講座と樋口陽一教授の比較憲法講座で学びました。どちらも最高水準の講義であったと思います。憲

法の考査委員になり、最新の憲法の体系書や憲法判例の解説書
等を何冊も買って一生懸命勉強し直しました。

第2　裁判官の視点

1　裁判所の役割～司法サービスの提供

　裁判所の役割は、国民の安全・安心な生活等の基盤となる司法サービスを提供することにあると考えている。裁判官として民事訴訟を担当していたときは、司法サービスの提供とは、適正な裁判を迅速に行うことであると考え、これを目指していた。

　大阪地方裁判所では、前記のとおり、適正な裁判を迅速に行うためには集中審理の実現が必要であると考えていた。集中審理とは、争点及び証拠をできる限り早期に整理し、その争点について的確な証拠調べ（証人尋問及び当事者尋問）を集中的に実施する審理の方式である。これにより、絞り込まれた争点（真の争点）に関する証拠調べを集中的に行えば、裁判官は、全部の証人尋問及び当事者尋問に立ち会い、直接、証人や当事者の態度、証言や供述の内容に接し、自ら観察した鮮明な証拠資料に基づいて判断することができるから、適正な裁判を迅速に実現することに適った審理方法である。そこで、集中審理を円滑に実施することができるよう、最大限の努力をしていた。その円滑な実施のためには、「争点整理案」（注1）を作成して当事者双方の訴訟代理人である弁護士（以下では、その趣旨で、「当事者双方の弁護士」などともいうし、単に「当事者双方」などともいう。）に配布して検討を促すこと、最終的に当事者双方の弁護士から同意を得たバージョンの争点整理案を調書に添付することが効果的であると考えて実行していた。確かに争点整理

案を作成することは相当な労力を要するが、司法サービスの提供として適正な裁判を迅速に行うことを目指す以上、当然のことと考えて実行していた。実際、争点整理案の作成配布は、大いに威力を発揮したと思う。集中審理の円滑な実施に最大限の寄与をしたことは当然として、和解の促進という付随的効果があったからである。

　また、東京地方裁判所でも、前記のとおり、全く同様の趣旨から、現行の民事訴訟法の条文に従って、集中審理を実施していた。このときは、上記の争点整理案を作成する方式を更に推し進め、争点及び証拠の整理手続の進行に沿って、まず、判決書のうち争点整理に関する部分（争点整理案の事案の概要型とほぼ同じもの）を起案し、次いで、集中証拠調べの前までに判決書の結論と理由に関する部分も起案していた（「判決起案並行方式」）。したがって、集中証拠調べの前までに暫定的な判決書が出来上がっていた。判決書の全部を起案をすることは、争点整理案の作成以上に労力を要するけれども、この判決起案並行方式の方が、争点整理案を作成する上記の方式よりも充実した争点整理及び集中証拠調べを行うことができるし、したがって、より適正な裁判を迅速に実現することに適った審理方法であると確信している。

　いうまでもなく、争点整理案の作成や判決起案には事件記録を精査し、その精査に基づいて当事者双方の弁護士と徹底的に議論をすることが不可欠である。事件記録の精査や弁護士との議論により、事件の内容が頭の隅々まで入るから、その後の訴訟運営や和解協議にとっても極めて有益であり、そのことも適

正な裁判の迅速な実現につながる。とりわけ、事件の内容が頭の隅々にまで入っていると、和解協議においても当事者双方の弁護士や当事者本人と的確なやり取りをして信頼を得ることに寄与するし、和解協議を重ねて、最終的に裁判所の和解案を提示するときも自信を持ってこれを行うことができたと思う。

　争点整理案を作成することは当事者双方の弁護士の役割であるとする議論や和解協議では裁判官は謙抑的であるべきであって、当事者主導で和解協議を進めるべきであるとする議論があることは十分に承知しているが、当事者双方の弁護士が的確な争点整理案を作成することも、当事者主導で和解協議が進み和解が成立することも、どちらも現状ではなかなか難しいと思われる（注2）。司法サービスを提供することが裁判所の役割であり、民事訴訟において適正な裁判を迅速に行うことが正に司法サービスの提供である以上、現状では、裁判官が上記のとおり積極的に訴訟進行や和解協議に関与することが必要不可欠であると考えている。もちろん、近い将来において、当事者双方の弁護士が的確な争点整理案を作成したり、当事者主導で和解協議が進み和解が成立することを大いに期待している。

（注1）　前記のとおり、「争点整理案」の内容は、在来様式の判決書の「事実」同様の内容とする場合（事実摘示型）と新様式の判決書の「事案の概要」と同様の内容とする場合（事案の概要型）を事案に応じて使い分けていたが、当初は、事実摘示型の方が優れていると考えて、事実摘示型を基本としていた。その後、事案の概要型は、争いのない事実と争点が一目瞭然であって分かりやすいとのメリットが

あることを自覚し、徐々に事案の概要型を採用する場合が増加した。

（注2）　東京地方裁判所に勤務していたとき、前任の裁判官から引き継いだ事件で、それまでに双方の主張の大幅な変遷があったためか、原告が準備書面に争点整理案（主張整理案）を記載してくれたことがあった。もちろん、事案の理解に資するものであり、訴訟運営には大いに役に立ったが、残念ながら、その争点整理案をそのまま判決書にすることは難しかった。また、後記のとおり、私の経験でも、当事者主導で和解協議が進み和解が成立することもあったが、残念ながら、そういう事例は僅少であった。

2　裁判官の心証形成

　将棋の中継をインターネットで観ていると、ＡＩ（=artificial intelligence　人工知能）が形勢判断を行い、これを数値化した「評価値」が表示されることがある。例えば、先手「60％」で後手「40％」（合計は必ず100％）といった具合に、である。この場合は、先手が若干有利だとの評価値であるという。一手ごとに評価値が出る。評価値が変わる場合もあれば、一手前と同じ評価値の場合もある。一手で逆転することもある。「80％」を超えると、相当に優勢であり、そこからの逆転は難しいようである。が、藤井聡太棋聖（当時）が「15％」で相手の棋士が「85％」であったところから、藤井棋聖が一気に逆転をして勝利を挙げた将棋をインターネットで観ていたことがある。藤井棋聖の強さを目の当たりにした。

　この将棋の形勢判断の「評価値」を見ていると、民事訴訟における裁判官の心証に似ていると思う。ただし、将棋は勝敗だ

けだが、訴訟の場合は、一部勝訴・一部敗訴の場合も少なくないから、ここでは勝敗だけの場合に単純化する。裁判官は、訴訟の進行に沿って、すなわち、訴状を読んだときから、心証形成を開始する。その場合は、「50%」対「50%」の場合が多いが、例えば、訴状に主要事実が的確に記載されていて、しかも、その主要事実を証明する（と通常は思われるような）的確な書証の写しが添付されている場合であれば、訴状と添付されている書証の写しだけからも原告に有利に心証形成をすることがある（そのような場合に、被告が答弁書を提出せず、第1回口頭弁論期日にも欠席するときもあり、いわゆる欠席判決を言い渡すこととなる。）。もちろん、被告の答弁書の場合も同様である。そういう出だしから心証が一方に傾く場合には早期に和解が成立することが多いと思う。いずれにしても、争点及び証拠の整理手続に移行し、その手続が進行すると、途中で逆転することもあるにしても、心証（形勢判断）は徐々に傾いていく。争点及び証拠の整理手続が完了する頃、すなわち、争点が明確化され、重要な書証や陳述書等が提出され、双方の立証の方法（証人尋問や当事者尋問）等が判明してくる段階になると、心証は大きく傾き、どちらかが「80%」か「90%」程度になることが多いと思う（「判決起案並行方式」により、並行して判決起案をするときは、その当事者の勝訴判決書が暫定的に出来上がっていることになる。）。

　もっとも、争点及び証拠の整理手続終了時に、例えば、原告が「10%」か「20%」で被告が「90%」か「80%」などと大幅に心証が傾いている場合であっても、上記の藤井棋聖の逆転勝

利のように、集中証拠調べの結果、これが逆転し、原告が
「100％」で被告「０％」となった事件を経験したことがある。
被告の申し出た証人が原告に有利な決定的証言をした事案や、
原告の本人尋問において、被告の弁護士の反対尋問が功を奏し
た事案などが思い起こされる。なお、当然のことであるが、将
棋のＡＩは、先手が「61％」で後手が「39％」といった具合に
１％刻みで形勢判断をしているが、裁判官の心証の場合は、そ
んなに細かに心証形成をすることはできず、せいぜい10％刻み
程度かと思う。

3　法律問題の調査・検討

　大半の事件では、その内容如何に関わらず、原告の弁護士も
被告の弁護士も、その事件に適用される民法等の実体法の条文
やその当然の解釈、解釈が分かれる場合の「判例」のほか「要
件事実論」（注1）をも当然の前提にして主張を組み立てている
ことが多く、大部分の事件では、裁判官も同じ前提に立って審
理を進めている。

　ここでいう「判例」とは、実務上は、最高裁判所の「判例」
のみを指し、条文に準ずる効力を有するもの（裁判の基準とな
る準則）と考えられている。民集（最高裁判所民事判例集）に
登載され、「最高裁判所判例解説」（実務上は単に「判例解説」
と呼んでいる。）が出ているものが代表的であるが、それには限
られない。裁判集（最高裁判所裁判集民事）に登載されている
もののほか、判例雑誌や法律雑誌のみに載っているものも「判
例」として重要視するのが裁判実務である。

　また、「要件事実論」は、民事訴訟を支える基礎的な理論（「理論」と呼ばれることが多いが、私は「法的技術」と呼ぶ方が妥当ではないかと考えている。）であり、簡単にいえば、原告の提示する訴訟物に従って当事者の主張を①原告が主張責任・証明責任を負担する「請求の原因」の事実、②被告が主張責任・証明責任を負担する「抗弁」の事実、③原告が主張責任・証明責任を負担する「再抗弁」の事実、④被告が主張責任・証明責任を負担する「再々抗弁」の事実等に整理することであり、実際の事件では、①は必須であるが、②以下は、どこまで進むのかは、当事者の主張次第である。それぞれの法律上の要件を「要件事実」と呼び、具体的に主張される事実を「主要事実」と呼ぶことが多い。それぞれの主要事実に対して相手方が認否をし、否認・不知と認否される事実が争点となる。むろん、その事実が的確な書証等により容易に認められるときは、（実質的な）争点ということができないから、実務上は、的確な書証等ではなく、主として証人尋問や当事者尋問等により決着を付けるべき争点を明らかにすることが一般的である。そういう争点を明らかにするために上記のとおり要件事実論は不可欠であり、争点整理により、争点が明らかになり、その争点に関する証明責任の所在も自ずと明らかになる（在来様式による判決書は、上記のとおりの要件事実論による整理を忠実に行うものであり、証明責任の所在が明らかになることにメリットがある。）。

　このとおり、原告の弁護士も被告の弁護士も、その案件に適用される民法等の実体法の条文や「判例」のほか「要件事実論」

をも当然の前提にして主張を組み立てていることが多いし、も
ちろん、大部分の事件では、裁判官も同じ前提に立って審理を
進めている。したがって、そういう事件では専ら事実について
の争い（当事者の主張する主要事実を認定することができるか
否か）が争点となる。もちろん、事件数としては多くはないが、
実体法に関する法律問題が生ずる事件はあるし、民事訴訟法等
の手続法に関して法律問題が生ずる事件もある。

　以上のように実体法や手続法に関して法律問題が生ずるとき
は、その調査・検討が必要になる。関連する「判例」、「裁判例」
（注2）、学説等は、まず、手元の判例付六法や体系書、裁判官の
パソコンに装備されている「判例秘書」で調べ、これらに載っ
ていないもの等は、裁判官室備付けの図書や資料で調べ、さら
に必要に応じて資料室にも出向いて調べる。

　関連する「判例」があるときは、その判例の「最高裁判所判
例解説」（上記のとおり、実務上は単に「判例解説」と呼んでい
る。）は必ず読み、そこに引用されている「判例」や「裁判例」、
学説（体系書、注釈書、論文等のほか、法学者や法律実務家の
「判例」や「裁判例」の解説を含む。）等も必要に応じて参照す
る。以上の調査・検討を経ても、関連する「判例」の「裁判の
基準となる準則」が係属している事件の事案に適用される（判
例の「射程距離にある」といったりもする。）かどうかが判明し
ない場合もあり、その場合は、上記の「判例解説」等を更に読
み込み、また体系書や注釈書等の該当箇所をも十分に参照し、
原理原則や基本から十分に考えた上で、射程距離にあるかどう
かを判断する。

　関連する「判例」がないか、あっても上記の射程距離にないと考えられる場合は、関連する裁判例や学説があっても直ちに採用するわけではない。その裁判例や学説のほか、体系書や注釈書等の該当箇所を十分に読み込み、原理原則や基本から十分に考えた上で、裁判例や学説のうちの1つの解釈を採用することもあるし、採用しないこともある。もちろん、関連する裁判例や学説もないときもあり、そういう場合も、原理原則や基本から十分に考えて理論構成を考案する（注3）。

（注1）　要件事実論について、詳しくは、司法研修所編『民事判決起案の手引（10訂 補訂版）』（法曹会・2020）、司法研修所編『紛争類型別の要件事実（改訂）』（法曹会・2006）等をご覧ください。

（注2）　「判例」に対し、「裁判例」は下級裁判所（高等裁判所も含む。）の判決や決定等を指す。大多数の裁判官は、「判例」と「裁判例」を区別し、「裁判例」が条文に準ずる法的効力を有するとは考えていないと思う。「裁判例」は、その理論構成等の内容次第であり、学説（通説も含む。）よりも重視する場合もあれば、学説の方をより重視する場合もある。

（注3）　私の経験では、東京地方裁判所の行政訴訟の専門部で陪席裁判官を務めていたとき、「判例」は存せず、裁判例や学説はあっても僅かであった事件が多かったし、裁判例や学説が全くない事件も少なくなかった。そういう事件では、条文の理解から始めて、苦労しながら原理原則や基本から十分に考えて理論構成を考案していたが、裁判官としてのやりがいを感じていた。当然ながら、そういう事件の判決が判例雑誌等に掲載されることも多かった。

4　法律文書の作成(1)〜用字用語について

　判事補のとき、判決書や決定書等の法律文書を起案する際に用字用語について幾つか気になっていた。例えば、「もうしたて」を「申立」とするか「申立て」とするか「申し立て」とするかである。当時の（旧）民事訴訟法の条文は「申立」としていた。また、新聞は確か「申し立て」と表記していたと思う。その後、法務省大臣官房司法法制部（当時は「司法法制調査部」）に部付として初めて勤務し、そこでは、公用文書の作成については、「新公用文用字用語例集」と題する手引書（**注1**）に依拠するよう指導を受けた。その手引書では、「もうしたて」は「申立て」とし、「もうしたてる」は「申し立てる」とし、「もうしたてにん」は「申立人」とすることになっている。同様に「差し押さえる」「差押え」「差押命令」、「貸し付ける」「貸付け」「貸付金」、「明け渡す」「明渡し」等と表記する。ところが、「しはらう」は「支払う」だが、「しはらい」は「支払」である。他に同様の送り仮名を付けない用語として「手続」「取引」「受付」「貸金」「期限付」「仕分」「月掛」「届出」等がある。

　また、漢字で表記していいのかどうかも迷う。現在の手引書では「挨拶」「曖昧」「臆（憶）測」「葛藤」「気遣う」「頃」「御無沙汰」「嫉妬」「刹那」「貼付」等は漢字を使うことができるが、「うかがう」（窺う）「しんしゃく」（斟酌）「ちゅうちょ」（躊躇）「そろえる」（揃える）「たどる」（辿る）等は漢字を使うことができない。私は、判決文では、「…の事情をしんしゃくすると」とか「被告は、ちゅうちょした」と表現したいときは、ひらがなでは締まりがないと思い、手引書には反するが、漢字を使っ

ていた（判決書は、手引書に拘束はされない。）。

　さらに、どの漢字を使うのかを迷う場合もある。代表的なのは「とる」であり、現在の手引書を見ると、「取る」の例として「手に取る・メモを取る・連絡を取る」、「採る」の例として「卒業生を採る・会議で決を採る・必要な措置を採る」、「執る」の例として「筆を執る・事務を執る・式を執り行う」、「撮る」の例として「写真を撮る」、「捕る」の例として「生け捕る」等が載っている。

　裁判所に戻っても、上記のような僅かな例外はあるものの、この手引書を活用していた。行政文書は当然として法文もこれに依拠しているし、最高裁判所の判決や決定もほぼこれに依拠していると思われることから、法律文書として全く違和感がない上（例えば、現行の民事訴訟法を見ても、「申立て」（236条）「申し立てる」（238条）、「申立人」（240条）としている。）、迷う時間の無駄がないのが大きな利点だと思う。したがって、司法修習生には当然として若手の裁判官にも上記の手引書の利用をすすめていた。

5　法律文書の作成(2)〜文章について

　判事補のときに米国のロースクールに留学し、Legal Writing という法律文書の作成に関する講座に興味を持った。私の出た法学部にはない講座であったからだ（当時の他の大学の法学部でも同様であったと思う。）。しかし、日本の裁判官が英語で法律文書を作成する必要が生ずるとは考えられなかったことから、Legal Writing を受講しなかった。ところが、留学中に「裁

判官特別研究」という制度が新設され、帰国後、その制度により、1年間、日本を代表する大手の法律事務所に派遣された（注2）。その事務所では主として渉外案件を担当し、英語で法律文書を作成することが日常の仕事となり、ロースクールで Legal Writing を受講すれば良かったと悔やんだ。

　法律文書、とりわけ判決書の作成は、裁判官にとって最も重要な仕事である。法律文書として良い文章とはどういうものか、そういう文書を書くにはどうすればいいか。文章に関する多数の専門書を読んで考えた。その中で、印象的であった本は、本多勝一著『日本語の作文技術』である（もっとも、いまは手元にない。）。本多さんが新聞記者であることから、新聞の文章が良い文章であると思い、新聞の文章をお手本に判決起案をしていた時期がある。その後、最高裁判所の判決や決定が洗練された良い法律文書であると感じるようになり、最高裁判所の判決や決定を読むときは、（内容は当然として）その文章にも着目していた。ちなみに、英語の法律文書としては、米国連邦最高裁判所の判決がお手本であると思う（もちろん、内容も超一級品であり、東京地方裁判所の部総括判事の頃、判決書の作成に役立てよう思い、インターネットを利用して米国連邦最高裁判所の判決を熱心に読んでいた。）。

　英語の法律文書の作成について若干補足したい。内閣官房司法制度改革推進室に勤務していたとき、司法制度改革の一環として、内閣に「法令外国語訳推進のための基盤整備に関する関係省庁連絡会議」を設けるなどして、法令外国語訳の推進に取り組んだ。法令英訳のための標準対訳辞書を作成し、法令の所

管省庁がその辞書を利用して法令の英訳を進めるスキームを構築した（注3）。司法制度改革推進室の解散に際し、このプロジェクトは法務省に引き継がれ、さらに発展している。ご存知の方が多いかと思うが、法務省のホームページの「日本法令外国語訳データベース」であり、「法令検索」「辞書検索」「文脈検索」をすることができる。例えば、民法や民事訴訟法の英訳を知りたいときは、「法令検索」の「法令名で検索」でキーワードを「民法」「民事訴訟法」として検索すれば、民法や民事訴訟法の日本語の正文とその英訳が出てくる（注4）。とても便利なシステムであり、上記のとおり、法律事務所で英語で法律文書を作成していた際に、日本の法令の的確な英語訳がなくて、法令を何とか英訳していた苦労が偲ばれる。

（注1）　確か、当時は、内閣総理大臣官房総務課監修であったと思う。私の手元にある（最新の）ものは、ぎょうせい公用文研究会編『最新公用文用字用語例集』（ぎょうせい・2010）である。その「端書き」に「読者の座右にあって、公用文をはじめとする現代国語を書き表す際の手引書として役立つことができれば幸いです。」とあり、自ら「手引書」と称している。

（注2）　「裁判官特別研究」は、裁判官が裁判官として成長するためには裁判以外の外部の経験を積むことも重要であると考えられたことから、そういう制度として1987年4月から開始された。民間企業コース、法律事務所コース、行政官庁コースに分かれていた。私は、1988年度の法律事務所コースの研修員として長島・大野法律事務所に派遣されて弁護士の仕事を体験したのである。詳しくは、**コラム**

④弁護士実務の経験をご覧ください。

（注3）　詳しくは、拙稿「法令外国語訳の推進」ロースクール研究3号（民事法研究会・2006）197頁をご覧ください。

（注4）　例えば、民法709条（故意又は過失によって他人の権利又は法律上保護される利益を侵害した者は、これによって生じた損害を賠償する責任を負う。）の英訳は、Article 709　A person that has intentionally or negligently infringed the rights or legally protected interests of another person is liable to compensate for damage resulting in consequence. であり、民事訴訟法182条（証人及び当事者本人の尋問は、できる限り、争点及び証拠の整理が終了した後に集中して行わなければならない。）の英訳は、Article 182　The examination of witnesses and the parties themselves shall be conducted in as focused a manner as possible after the arrangement of issues and evidence is completed. である。

コラム ② 米国ロースクール

　高校（長野県伊那北高等学校）で英語研究クラブ（略称「英研」）に属していましたし、大学（東北大学）でもESS（=English Speaking Society）という英語のクラブに属していました。また、法学部では、望月礼二郎教授の英米法講座を受講し、英米法の基礎を学んでいました（**注1**）。その上、望月教授の英米法ゼミにも参加し、そのゼミでは、英米の学者や実務家の論文等を講読していました（**注2**）。そういう経験から、漠然とですが、いつの日か、米国のロースクールに留学したい、渉外弁護士として活躍したいと思っていました。

　大学を卒業して司法修習生になると、実務修習で裁判官もやりがいのある仕事だと実感し、判事補に任官しました。判事補にも米国のロースクールに留学するチャンスが、当時は僅かでしたが、ありました。留学の募集に応募をし、最高裁判所が実施する英語の試験に合格する必要があり、その合格者は2人だけでした。当時は留学先が特定の2つの大学のロースクールに限られていたからです。幸い、私は、その試験に合格をし、米国のノートルデイム大学ロースクールに留学をしました。

　この大学について若干の説明をします。正式には、University of Notre Dame であり、日本では、「ノートル

ダム大学」と表記されることが多いのですが、英語の発音
は「ノートルデイム」です。1842年創立のカソリック系の
名門私立大学でして、インディアナ州ノートルデイム（サ
ウスベンド市近郊）にあります。手入れの行き届いた広大
なキャンパス内には湖や森もあり、学生たちも友好的で礼
儀正しく、抜群の教育環境です。アイビーリーグ校に勝る
とも劣らない入学難易度で知られていますが、アメリカン
フットボールの名門校としても有名です。そのロースクー
ルは、ノートルデイム・ロースクール（Notre Dame Law
School）と称されます。2020年10月に米国連邦最高裁判
所判事に就任したエイミー・コニー・バレット（Amy
Coney Barrett）氏は、1997年にノートルデイム・ロース
クールを首席で卒業しています。彼女は、その後、アント
ニン・スカリア米国連邦最高裁判所判事付の調査官（law
clerk）等を経て、ノートルデイム・ロースクールの教授を
務め、さらに2017年からは、米国連邦第7巡回区控訴裁判
所判事を務めていました。
　ノートルデイム・ロースクールでは、日本の裁判の現場
を離れ、思い切り米国の法学教育を楽しむことができまし
た。授業の開始に先立って、ロースクールのリンク学長が
1年生全員に対して激励の演説を行いましたが、その際に
ロースクールでは「法律家らしい思考方法を学ぶことが肝
要です。」と強調されていたことが思い起こされます。
ロースクールは、4年制の大学の卒業生に対して3年制の
法学専門教育を行う法科大学院ですが、米国の大学に法学

部はありませんから、４年制の大学の卒業生は、ロース
クールで初めて法学を学ぶことになります。したがって、
法的思考能力をはじめとする法律家としての基本をしっか
り身に付けることに重点が置かれていると感じました。

　ロースクールは、４年制の大学の卒業生に対する法学専
門教育機関であり、学費や生活費を自分で貯めて進学する
学生が多いことから、日本の当時の大学法学部とは違って
多様な社会経験を有するクラスメイトが多く、教室では、
そういう豊富な社会経験に基づいて深い議論が行われてい
たことが印象的でした。例えば、医師を15年ほどやって
いたというＡさん、看護師をしていたというＢさん、貿易
関係の企業に勤めていて日本の企業との取引もあったよと
嬉しそうに話しかけてきたＣさん、日本の米国系企業で社
長をしていて芦屋に10年以上も住んでいたという初老の
Ｄさん、勉強が忙しすぎて友人ができないと悩みを打ち明
けてくれた自称作家のＥさん、子育てが終わったので弁護
士になる夢に挑戦するといって夫に会社を辞めて一緒に来
てもらったというＦさん等々の社会経験豊富な多彩な人材
が揃っていました。そこで、例えば、不法行為法（Torts）
の授業で題材が医療訴訟の判決であったとき、ＡさんとＢ
さんは、その経験を生かして見事な解説をするなどして大
活躍をしました。もちろん、親友のボブ君のように大学を
出て直ちにロースクールに来た者もいましたが、総じて、
学費や生活費は自分で稼いでいたことが印象的でした。

　留学中にこんなエピソードがありました。ある日、サウ

スベンド市の道路を足早に歩いていると、後ろから走って
きたトラックが私の横に止まり、運転手が「おーい、乗っ
て行けよ。」と声をかけてくれました。いかにもアメリカ
青年といった陽気で友好的な感じであったこととロース
クールの授業が始まる時間が迫っていたことから、「じゃ
あ、お願いしようかな。」と言って助手席に乗り込みまし
た。「シカゴでの接触事故で一部破損した自動車を修理屋
に預けてきたところで、とても助かります。ノートルデイ
ム・ロースクールに戻る途中です。」と言うと、「ロース
クールまで送ってあげるよ。」と言い、さらに「僕も、あと
１、２年トラックの運転手をやってお金がたまったら、
ロースクールに行って弁護士になるつもりなんだ。」と
言っていました。まさにアメリカン・ドリームだと思いま
した。

　また、クラスメイトの多くが将来の設計を具体的に立て
ており、その目標に向かって本気で猛勉強をしていたこと
も印象的でした。例えば、不法行為法の授業でよく席が隣
りだった素敵な女性は、卒業後は地元に帰って不動産取引
専門の弁護士になると決意を語っていました。また、クラ
スのリーダー格で活動的であった女性は、幼い頃、父親の
仕事の関係で横須賀に住んでいたといい、私に親しく接し
てくれたので、将来の目標を訊くと、最も人気が高い就職
先である「裁判官付調査官（law clerk）を目指していま
す。」と言っていました。彼女は、卒業後、実際に連邦控訴
裁判所判事付調査官になり、その後、大都市の大手の法律

事務所に就職しました。猛勉強といえば、私は、初めの頃、授業が終わるとさっさと妻が待つアパートに帰っていましたが、あるとき、オーストリア出身の留学生と飲む約束をしたところ、何と夜の11時にロースクールの図書館で待ち合わせようと言われてしまい、その時間に図書館に行ったら、大勢の学生たちが熱心に勉強をしていました。クラスメイトは、上記のとおり、将来の目標に向かって、より良い就職先を目指して必死に勉強をしていました（注3）。私は、その必死で勉強する姿に圧倒されていました。

　教授やクラスメイトとの親しい付き合いも頻繁にあり、とても懐かしい想い出です。最も感激をした想い出は、ある授業が終わり際の出来事です。バウアー教授が「きょうは、これまで。次回の授業では…の判例を取り上げます。」と言った途端に、私の隣の席に座っていた親友のボブ君が立ち上がり、「きのう、小林さんのところに男の子が生まれました！」と大声でアナウンスをしたのです。バウアー教授をはじめ、クラスの全学生から祝福の拍手を頂き、続いて握手攻めにあいました。一緒に渡米したものの、出産のため帰国した妻が長男を出産したことから、そのことをボブ君だけには授業前に伝えていたのですが、まさか、このような行動に出るとは予期していなかっただけにとても嬉しく感じました。

　そのボブ君から誘われて彼のイリノイ州の実家に遊びに行き、3泊か4泊ほど逗留したことも懐かしい想い出です。湖畔の別荘に滞在して水上スキーの手ほどきを受けま

したが、むろん、初めての経験でした。また、彼の婚約者のオードラさんの実家でのパーティに招かれ、そこでシカゴの連邦地方裁判所判事にお会いしました。その判事から「ディスカヴァリー手続を行うと、当事者双方の弁護士は、事件に関連する証拠を全て共有し、同じ結論を得る。そこで、それ以上訴訟を進めても費用と時間が無駄になるだけだから、当然、和解をしようということになる。私の担当事件は90％以上和解で終了している。」と聞いて驚いた記憶があります。判事に「日本には米国のようなディスカヴァリー手続はありません。」と言うと「それでよく裁判実務がやっていけるねぇ。」とあきれていました。後記のとおり、帰国後に派遣された法律事務所で、米国連邦地方裁判所の民事訴訟事件を担当して実際にディスカヴァリー手続を経験し、判事の上記の発言内容を実感しました。

（注1）　望月教授は、後に体系書『英米法』（青林書院・1981）を出されました。その後、改訂をされて、現在私が所有しているのは、『英米法〔改訂第二版〕』（1990）です。この体系書の特徴は、英米法総論（3頁から139頁まで）に続いて、英米法のうちの不法行為法（141頁から304頁まで）と契約法（303頁から459頁まで）についても詳述していることです。私の受けた授業でも同様であり、そのことが後のロースクールでの授業でも大いに役に立ちました。

（注2）　そのほか、荘子邦雄教授の刑法ゼミと外尾健一教授の労働法ゼミにも参加していました。

（注3）　必死で勉強するのは、司法試験（ただし、各州が独自に実施する。）に合格するためではないと思われました。司法試験は、州により合格率は相当に異なりますが、総じて合格は日本ほど難しくはないからです（当時は5割から8割程度であったと思います。）。将来の目標に向けて、より良い、より希望に沿う法律事務所に就職するためにロースクールでの成績を少しでも上げたいという理由であったと思います。

第3　審理において有用なツール

1　陳述書

(1)　陳述書は、争点となる可能性のある事実（主要事実のほか、事案により間接事実も含む。）に関する具体的な事情や背景事情等について、本人や証人（見込みの者）の陳述内容を記載するものであって、争点及び証拠の整理手続で有用な手段である。陳述書により争点が絞り込まれるし、争点がより明確になることが多い。また、陳述書は、集中証拠調べにおいても必要である。すなわち、あらかじめ、争点に関する具体的な事情、すなわち、「当事者尋問や証人尋問において主尋問で供述や証言をする内容」の十分な開示がないと、その場で直ちに反対尋問をすることに支障が生じかねないからである。

(2)　まず、大阪地方裁判所で旧民事訴訟法の下で民事訴訟を担当していたときは、当事者双方の弁護士に対し、集中証拠調べに賛同してもらい、これを円滑に実施するために、証人や当事者の陳述書の提出を求めていた。しかし、当時は、いまだ陳述書の提出に対する弁護士の抵抗も相当にあり、争点に関する具体的な事情を記載した準備書面を陳述書に替えて提出する弁護士も相当数いた。陳述書と詳細な準備書面の割合は、ほぼ半々であった。

(3)　しかし、東京地方裁判所で現行の民事訴訟法の下で民事訴訟を担当していたときは、弁護士は、陳述書の提出は当然であるとしており、争点及び証拠の整理手続の段階で、しかも、

少なくない事件ではかなり早い段階で、積極的に陳述書を提出していた。

その背景事情として、現行の民事訴訟法は、集中証拠調べを定める明文の規定（182条）を設けているため、弁護士は、集中証拠調べを当然のものとして受け入れ（もちろん、旧民事訴訟法の下で先駆的に実践されていた集中証拠調べのメリットを実感していた弁護士もある程度はいたと思う。）、その実施のためには陳述書が必要であると認識している事情があると思われる。また、争点及び証拠の整理手続で有用な手段であり、訴訟の早い段階で裁判官の心証を有利にした方が良いとの戦術判断があって、早期に積極的に陳述書を提出しているとも感じていた（前記の「裁判官の心証形成」参照）。確かに早期に積極的に有利な書証や陳述書を提出して裁判官の暫定的心証を有利にする戦術判断にも一定のメリットはあると思う。そういう暫定的心証に基づいて和解勧告や和解案の提示をすることもあり得るからである。さらに、弁護士が徐々に陳述書の作成に慣れて習熟してきたことも背景事情の一つかもしれない。

(4)　陳述書に関する印象深い出来事を紹介したい。

まず、大阪地方裁判所での経験だが、原告の弁護士が原告本人の陳述書のほか、ほぼ同じ内容の原告の母親の陳述書を提出していた。本人尋問における主尋問で、原告は、その陳述書の内容に沿う供述をした。しかし、母親は、証人尋問における主尋問で、その陳述書や原告の陳述書の内容に沿わない証言（むしろ、被告に有利な証言）をし、原告の弁護士が

必死に誘導しようとしても頑として応じなかった。母親は、意に添わない陳述書に署名したことを悔いているかのようであった。その証言態度のほか、他の証拠からも、母親の証言内容が真実であることは明らかであった。弁護士の母親に対する事情聴取が不十分であったのか、母親は、事情聴取の際に同席した原告の言うがままの事情を述べていたのか、真相は不明であった。

　同じく、大阪地方裁判所で担当した事件である。原告が被告（金融機関）から融資を受けたところ、その融資に際し、被告が原告に対してある約束をしたと主張して、その約束に基づく請求をした事件であった。原告は、被告が原告に対してその約束をした上で、融資の際の稟議書にその約束の記載があると主張したが、被告は、これを全面的に否認した。ただし、原告や裁判所から、その稟議書を書証として提出することを求められても、被告がこれに応じなかったので、怪しいとは感じていた。当時の被告の担当者（その後、他の支店に転勤していた。）の陳述書があり、被告の主張に沿う内容であった。が、証人尋問で、その担当者は、原告主張の約束を被告がしたこと、融資の際の稟議書の欄外にその約束を手書きで記載したことなどの証言をした。かつて担当した顧客の目の前で虚偽の証言をすることをためらったのか、正義感から（宣誓の効果？）事実をありのままに証言したのかは不明であったが、証拠調べの後に直ちに和解勧告をして原告に有利な和解が成立した。

2　鑑　定

鑑定（注1）もしばしば利用されるツールである。

(1)　まず、鑑定が威力を発揮して真相の解明に大いに役立った
事件について紹介をしたい。

　　東京地方裁判所に係属した事件であり、原告は、Aの遺族
（妻）である被告に対し、Aの生前、Aに対して720万円を貸
し付けていたと主張してその返還を求めた事案であった。被
告は、その消費貸借契約の締結の事実を否認し、夫であるA
から消費貸借契約については一切聞いていないし、Aは、そ
の母から多額の財産を相続していたから、そのような借金を
するはずがないと主張した。これに対し、原告は、Aが署名
したという借用書を書証（注2）として提出した。被告は、そ
の署名がAの署名であることも否認したが、筆跡鑑定を行っ
たところ、鑑定人は、その署名がAの署名であるとの鑑定書
を提出した。被告は、その鑑定については争うことなく、さ
らなる別の鑑定を求めた。借用書の原告の署名欄及び金額欄
に書き換えの疑惑を感じての申出であり、裁判所は、これを
採用して鑑定を行った。鑑定人は、鑑定書において、借用書
の原告の署名欄にはもともとBとの署名があったところ、そ
れをインク消しで巧妙に消して原告の署名をしているし、そ
の上、金額欄も、当初は120万円と記載されていたところ、
その「1」に別のボールペンで書き足して「7」に書き換え
ているとの鑑定書を提出した。この鑑定により、借用書が偽
造されている疑いが強まり、被告は、原告に対し、反訴を提
起し、原告の本訴が不当訴訟に当たると主張して損害賠償請

求をした。確か、その時点で、その事件を前任の裁判官から引き継いだと思う。したがって、私は、必要な原告と被告の本人尋問及びBの証人尋問をして弁論を終結し、本訴請求を棄却し、反訴請求を認容する旨の判決を言い渡した。原告（反訴被告）が控訴したが、控訴審では原判決に沿った和解が成立したと聞いている。

(2)　他方で、鑑定が分かれて鑑定のみでは決着が付かなかった事件を紹介したい。

　男性Cが死亡し、Cが先妻の長男である被告に全財産を相続させる旨の自筆証書遺言（遺言書）が見つかった。Cの後妻（原告）が被告に対してその自筆証書遺言はCが自書したものではないと主張してその自筆証書遺言が無効であることを確認する旨の判決を求めたのである。その自筆証書遺言については、いくつかの（2つか3つの）鑑定又は私的鑑定（注3）が行われ、筆跡に関する専門家の意見は、その自筆証書遺言の筆跡は、Cの筆跡と同一だとするものと、同一ではないとするものに分かれていた。裁判所は、筆跡鑑定だけでは決着が付かないとしてその他の事情をも考慮して原告の請求を認容する旨の判決を言い渡した。被告が控訴をし、その控訴審の主任裁判官（注4）を担当した。その自筆証書遺言を見たとき、漢字とカタカナで書かれており、やや不自然な印象を受けた上、遺言書に添えられていた遺言内容に関する説明文は、パソコンで作成されたものであり、違和感を覚えた。控訴審では、控訴人から再鑑定の申出もあったが、裁判所は採用しなかった。他方で、控訴人から証人Dについて証人尋問

の申出があった。原判決直後、Cが懇意にしていたというD
から被告に対してたまたま電話があり、第一審の経緯と判決
について説明したところ、Dは、Cから遺言書の作成につい
て相談があり、これに応じたので、問題の自筆証書遺言はC
が自書したものと思うと述べたという。この申出は採用し、
Dの証人尋問を行った。Dの証言に不審な点があったわけで
はないが、被告が日頃の交際のないDから原判決直後にたま
たま電話がかかってきたということについてはタイミングが
良すぎるようにも感じた。すべての証拠を総合しての最終判
断は極めて難しかった。控訴審の判決前に私は異動したの
で、その後の経緯は不明だが、後日、その事件については和
解が成立したと聞いている。

（注1）　鑑定は、専門性の高い分野について、裁判所の指定した学識経
　　　　験を有する第三者に意見・判断を求める手続である（民事訴訟法 212
　　　　条以下）。鑑定人は、通常は、書面により意見を述べ、その書面を
　　　　「鑑定書」と呼んでいる。

（注2）　「書証」とは、本来は、文書を対象とする証拠調べのことであ
　　　　るが、実務上は、証拠となるべき文書も「書証」と呼んでおり（法令
　　　　上も認知された用法であり、例えば、民事訴訟規則 55 条 2 項参照）、
　　　　むしろ、後者の扱いの方が一般的である。

（注3）　当事者が（民事訴訟上の上記の「鑑定」の手続ではなく、訴訟
　　　　外で、いわば私的に）学識経験を有する第三者に意見・判断を求める
　　　　ことも自由であり、その第三者の意見・判断を記載した書面は、もち
　　　　ろん、上記の「鑑定」による「鑑定書」ではないが、その書面を当事

者が書証として提出することも少なくない。その第三者の意見・判断を記載した書面は、「私的鑑定書」であって、民事訴訟法上の「鑑定書」ではないが、「鑑定書」と題する書面として提出されることがある。もちろん、実務では、表題に関わらず、書証として扱っている。なお、「私的鑑定書」については、当事者双方の同意があれば、裁判上の鑑定人の鑑定書と同様に扱うことができるとする説もあるようであるが、当事者がそのような主張をした事例を経験したことはないし、そのような説を採用することは難しいと思われる。また、不動産鑑定士の場合は、不動産の鑑定評価に関する法律により「鑑定評価書」と呼称されているが、裁判所が鑑定の手続に従って不動産鑑定士を鑑定人に指名して鑑定評価を求めた場合は、民事訴訟法上の「鑑定書」であるが、当事者が私的に鑑定評価を求めた場合は、「私的鑑定書」（書証）である。

（注4）　後記のとおり高等裁判所では、全部の事件を3人の裁判官（裁判長及び2人の陪席裁判官）が構成する合議体が審理する。1人の陪席裁判官が事件ごとに主任裁判官を務める（もちろん、自動的に決まる仕組みになっている。）。

3　意見書

(1)　米国訴訟における意見書案作成の経験

前記のとおり、判事補のとき、米国のロースクールに留学し、帰国後、「裁判官特別研究」という制度により、法律事務所に派遣されて、その事務所で主として渉外案件を担当した。とりわけ、米国連邦地方裁判所での民事訴訟事件を2件も担当する機会に恵まれた。実際の事案はもっと複雑だが、ごく単純化する

　と、Ａ事件は、米国の企業が取引先の日本の企業を被告として
反トラスト法違反等を理由とする損害賠償請求をしたという事
件であり、Ｂ事件は、日本の企業が米国で販売した製品の購入
者がその企業を被告としてその製品に欠陥があると主張して損
害賠償請求をしたクラスアクションの訴えであった。いずれ
も、被告の企業から依頼を受けていた。

　Ａ事件では、日本の企業と米国の企業との間には取引に関す
る契約があり、その契約には、東京を仲裁地とする旨の仲裁条
項があることから、東京における仲裁により解決すべきである
と主張して、訴訟手続停止及び仲裁強制の申立てをした。これ
に対し、原告側は、日本の仲裁では米国の公法である反トラス
ト法を適用することができないと主張して、その旨の日本の大
学教授の意見書を提出した。被告側も対抗して意見書を提出し
ようということとなり、その作成をＭ弁護士にお願いをした。
経緯は覚えていないが、Ｍ弁護士はパートナーのＮ弁護士の知
り合いであり、Ｎ弁護士がＭ弁護士に電話をかけて事案の概要
等を説明した上で引き受けていただいたものと思う。意見書案
（もちろん、英文のもの）を持参して来てほしいとの指示があ
り、私が事務所勤務の米国人弁護士の協力を得て意見書案を作
成し（注1）、一人でＭ弁護士の法律事務所を訪問した。Ｍ弁護
士は、民事訴訟法を専門とする著名な大学教授（当時は名誉教
授）であり、多数の著作を読んで民事訴訟法を学んでいた上、
初対面であったことから、かなり緊張してお会いしたが、思い
のほか、気さくに対応していただいたことを鮮明に覚えてい
る。Ｍ弁護士からは意見書案について訂正の具体的指示を頂

き、何回かやり取りをした上で意見書が完成し、これにM弁護士の署名を頂いた。そして、その意見書を事件が係属する米国連邦地方裁判所に提出した。その意見書は威力を発揮し、被告の上記の申立てを認容する旨の決定を受けることができた。ちょうどその決定を受けた直後に私は東京地方裁判所に戻ったが、後に和解が成立したと聞いている。

　なお、B事件は、クラスアクションの訴えであったため、私が担当していたときにクラス代表者の原告らとの間で和解の合意に至ったが、和解の正式な成立までにクラス構成員（潜在的原告）に和解案を告知するため全米紙に告知文を掲載する等の手続を要し、東京地方裁判所に戻る直前にギリギリで和解が正式に成立したと記憶している。

(2)　日本の民事訴訟の実務における意見書

　「鑑定」の箇所で説明したとおり、当事者が、学識経験を有する第三者に意見や判断を求めることも自由であり、その第三者の意見や判断を記載した「意見書」と題する書面を書証として提出することも自由である。もちろん、その「意見書」は、民事訴訟法上の「鑑定書」ではないが（いわば「私的鑑定書」である。）、実務上、しばしば、学識経験を有する第三者が「鑑定書」と題する書面を作成することもあり、紛らわしい。私の経験では、日本の法律の解釈や適用等に関して法学者の「意見書」が提出されることも何回かあったが、そのような意見書の意見を採用して判決に至った事例は思い出すことができない（注2）。

（注1）　当時、英語の法律文書（案）を作成するときは、私が原案を英語で起案して米国人弁護士にチェックをしてもらう方法が多かったが、特に法律文書の質を高めたいときは、私が米国人弁護士に法律文書の内容を英語により口頭で説明し、その弁護士が作成した原案の内容を私がチェックをし、さらに二人で議論をしながら推敲していくという方法も採っていた。この意見書案の場合は、チームメイトとなった米国人弁護士がハーバード・ロースクールを出た極めて優秀な弁護士であったことから、迷わず後者の手法を採ったと記憶している。

（注2）　コラム①民法・民事訴訟法で述べたとおり、法制審議会や司法試験考査委員会での経験からも、一流の法学者の学識や知見が高いことは十分に承知している。しかし、裁判官は、日本の法律の具体的な解釈や適用等に関しては専門家であり、一流の法学者の意見書であること（だけ）から直ちにその意見書を採用することはあり得ないと思う。

4　専門委員

　専門委員（注1）の活躍によって事案の解明が進んだことを何回か経験した。その典型的な事例を紹介したい。

　原告が被告に対し原告所有土地と隣接する被告所有土地の境界の確定を求めた事案であった。地方裁判所の判決に対して原告が不服であるとして控訴をした。その控訴審を担当した。原審の審理及び判断に対しては、もう少し客観的な証拠に基づいて判断をすべきではないかと思った。また、土地の境界に関する専門家である土地家屋調査士が訴訟に全く関与していないこ

とや原審の担当裁判官が現地に行っていないことにも違和感を感じた。そこで、控訴審では、まず、当事者双方の同意を得て、土地家屋調査士である専門委員の関与を求めた。また、現地を見に行くことにし、裁判長である私と主任裁判官は、裁判所書記官とともに現地に赴き、当事者双方、その弁護士、専門委員と現地で一堂に会して皆で現地を丹念に見て回った。その後、その専門委員の活躍により、境界の確定に資する貴重な公的図面の存在が判明し、書証として提出された。当事者双方ともに判決による解決を求めたが、専門委員が行った説明は証拠資料にならないため、当事者双方の了解を得て、その専門委員を鑑定人に指名し、その鑑定書をはじめとする証拠を総合的に検討して土地の境界を確定する旨の控訴審判決を言い渡した。当然ながら、当事者双方から上告はなく、その判決は確定した。

　裁判官の研修会等で講師として専門委員の活用について説明する機会があり、この事例を参考に挙げて説明をする場合が多かった。そういうときに、土地家屋調査士が土地の境界に関する専門家であることを知らず、境界確定訴訟等において土地家屋調査士の専門委員を活用していない裁判官が少なくないことに驚いた。もっとも、そういう私も、法務省民事局民事第二課（不動産登記制度とともに、この登記制度の専門家である土地家屋調査士と司法書士の制度も所管している課）に勤務した経験があることから、土地家屋調査士が土地の境界に関する専門家であることを知っていたのであって、偉そうなことをいえる立場にはない（注2）。なお、ここでいう「境界」は厳密には「筆界」のことである（注3）。不動産登記法の改正（2005年）によ

り、「筆界特定制度」（注４）が設けられた。これに伴い、土地家屋調査士が土地の境界について豊富な専門的知識及び経験を有することに鑑み、その業務に「筆界特定手続代理関係業務」（筆界特定の手続についての代理等）が加わった（土地家屋調査士法３条１項４号から６号まで）。昔に比べて、土地境界確定訴訟が減少していると実感しているが、筆界特定制度が活用されて、これにより土地境界（筆界）紛争が解決されていることによるものと推測している。なお、以上のとおり、土地家屋調査士は、土地の「筆界」を明らかにする業務の専門家であるところ、筆界特定制度において、その手続の代理人や筆界調査委員として大いに活躍をし、また、登記所に備え付ける地図の作成作業にも大きな貢献をし、筆界を明らかにする業務の専門家としての活躍が認められていることから、土地家屋調査士法は、2019 年に改正されて、改正後の土地家屋調査士法１条は、「土地家屋調査士…は、不動産の表示に関する登記及び土地の筆界…を明らかにする業務の専門家として、不動産に関する権利の明確化に寄与し、もつて国民生活の安定と向上に資することを使命とする。」と規定して土地家屋調査士の使命を定めている（注５）。

　以上のとおり、専門的知見を要する訴訟において、豊富な専門的知識及び経験を有する専門家が専門委員として訴訟手続に関与することにより、一層充実した審理を実現することができる。専門委員制度は、有用なツールであり、専門的知見を要する訴訟において、この制度を活用することをおすすめしたい。

（注１）　民事訴訟法 92 条の 2 第 1 項は、「裁判所は、争点若しくは証拠
の整理又は訴訟手続の進行に関し必要な事項の協議をするに当た
り、訴訟関係を明瞭にし、又は訴訟手続の円滑な進行を図るため必
要があると認めるときは、当事者の意見を聴いて、決定で、専門的な
知見に基づく説明を聴くために専門委員を手続に関与させることが
できる。この場合において、専門委員の説明は、裁判長が書面によ
り又は口頭弁論若しくは弁論準備手続の期日において口頭でさせな
ければならない。」と定めている。第 2 項及び第 3 項は省略する。

（注２）　在勤中に土地家屋調査士法の 2002 年改正を担当した。この改
正とその後の 2005 年改正について解説をした拙稿「土地家屋調査士
法の改正」登記研究 704 号（テイハン・2006）61 頁があり、土地家屋
調査士制度の歴史についても解説している〔本書の資料編に再録し
ている。また、土地家屋調査士法の改正と併せて司法書士法の 2002
年改正も担当した。司法書士の業務に簡裁訴訟代理関係業務を加え
る改正である。この 2002 年改正とその後の 2004 年改正及び 2005
年改正について解説をした拙稿「司法書士法の改正」登記研究 704
号（テイハン・2006）79 頁があり、これも本書の資料編に再録してい
る。〕

（注３）　「筆界」とは、「表題登記がある一筆の土地（以下単に「一筆の
土地」という）とこれに隣接する他の土地（表題登記がない土地を含
む。以下同じ）との間において、当該一筆の土地が登記された時に
その境を構成するものとされた二以上の点及びこれらを結ぶ直線を
いう。」（不動産登記法第 123 条第 1 号）。「境界」は、筆界を意味する
場合（本来の意味の「境界確定訴訟」で用いる場合）が多いが、「所
有権の範囲を画する線」という意味で用いられることもある。その

場合は、「筆界」とは異なる概念となる。

（注4）　「筆界特定制度」とは、土地の筆界の迅速かつ適正な特定を図り、筆界をめぐる紛争の解決に資するため、登記官が、土地の所有権登記名義人等の申請により、筆界調査委員の意見を踏まえて土地の筆界を特定する制度である。筆界調査委員は、筆界の特定について必要な事実の調査を行い、登記官に意見を提出することを職務とし、その職務を行うのに必要な専門的知識及び経験を有する者のうちから任命される（不動産登記法127条）。多くの土地家屋調査士が筆界調査委員として活躍していると聞いている。

（注5）　この規定について、村松秀樹・竹下慶・中丸隆之「司法書士法及び土地家屋調査士法の一部を改正する法律の解説」登記研究863号（テイハン・2020）19頁は、次のとおり解説をしている。すなわち、《土地家屋調査士制度を取り巻く状況が変化し、土地家屋調査士が社会において以前にも増して重要な役割を果たすようになってきていること等を踏まえ、…土地家屋調査士が我が国社会において専門家として認知されていることを前提に、その使命を明らかにする規定を設けることが適切である…。すなわち、土地家屋調査士は、表示に関する登記の専門家であることに加えて、筆界特定制度においてその手続の代理人や筆界調査委員の主たる担い手となっているほか、不動産登記法第14条第1項の地図の作成作業において大きく活躍するなど、筆界を明らかにする業務の専門家として、活躍の場面を大きく広げている。そこで、「不動産の表示に関する登記手続の円滑な実施」（旧土地家屋調査士法第1条）にとどまらず、より広く、不動産の表示に関する登記及び土地の筆界を明らかにする業務の専門家として行動し、不動産に関する権利の明確化に寄与し、国民生

活の安定と向上に資する活動を行う使命を負っていることを土地家屋調査士法の冒頭で宣明することとしたものである。使命規定の新設により、土地家屋調査士には、その使命と職責に基づき、更に活躍していくことが期待される。》なお、上記の「司法書士法及び土地家屋調査士法の一部を改正する法律の解説」は、立法の経緯のほか、司法書士法及び土地家屋調査士法のそれぞれにつき、改正の内容（使命を明らかにする規定の新設、懲戒に関する規定の整備、一人法人の許容）を詳細に解説している。

5　調査嘱託

　民事訴訟の実務上、調査嘱託はしばしば利用される制度であり、珍しくはない。その調査嘱託が威力を発揮した印象深い事例を紹介しよう。

　原告が被告に対して預託した1000万円を返還することを求めた事案であり、被告は1000万円を受領したことを否認した。そこで、原告は、被告が原告に宛てた1000万円を受領した旨の被告名義の領収書を甲第1号証として提出した。被告は、その領収書の成立が真正であることを否認したが、その領収書の印影が被告の印章によるものであることは認めており、十分な反証をしていなかった。したがって、領収書の被告名義の印影が被告の印章によって顕出されたものであることは当事者間に争いがないから、その印影は被告の意思に基づいて顕出されたものと推定され（判例上の確定した準則）、さらに、被告の押印があると認められるから領収書は真正に成立したものと推定され（民事訴訟法228条4項の規定による推定（**注1**））、被告の反証

が十分ではない以上、原告の勝訴は決定的である。したがっ
て、裁判所は、原告勝訴の判決を言い渡した。これに対し、被
告が東京高等裁判所に控訴をした。

　その控訴審を裁判長として担当した。控訴審でも、なぜ領収
書の印影が控訴人の印章によるものかについては、控訴人は十
分な説明はしていなかった。しかし、私は、原審の記録中の原
告の本人尋問調書に注目した。原告は、当日、銀行の貸金庫か
ら現金1000万円を持ち出して被告に対して交付したと供述し
ていたが、反対尋問で、銀行名（具体的には支店名）を訊かれ
ても、これに応じていなかった。被告の弁護士も裁判官も、そ
れ以上の追及をしていなかったから、原告が応じない理由も不
明であった。私は、このやり取りに大いに違和感を感じてい
た。

　そこで、控訴審の審理では、被控訴人側に対し、その銀行名
を明らかにするよう強く求めた。これに対し、被控訴人が銀行
名を明らかにしたので、早速、その銀行に対して調査嘱託（**注
2、注3**）をした。被控訴人がいう貸金庫を一定の期間（被控訴
人が利用したと供述した日の前後の一定の期間）の利用記録を
提出するよう求めたのである。後日、その銀行から、被控訴人
がいう貸金庫がその一定の期間内には一切利用されていない旨
の回答書が届いた。1000万円の交付には重大な疑念が生じた
のである。調査嘱託の威力を感じた。この事件は、控訴人と被
控訴人との他の紛争も含めて和解が成立して円満に解決され
た。

(注1) 民事訴訟法228条1項は、「文書は、その成立が真正であること
を証明しなければならない。」と規定し、同条4項は、「私文書は、本
人又はその代理人の署名又は押印があるときは、真正に成立したも
のと推定する。」と規定している。

(注2) 民事訴訟法186条は、「裁判所は、必要な調査を官庁若しくは公
署、外国の官庁若しくは公署又は学校、商工会議所、取引所その他の
団体に嘱託することができる。」と規定し、調査嘱託（法文上は「調
査の嘱託」だが、実務上は、「調査嘱託」と呼んでいる。）について定
めている。裁判所の嘱託を受けた「官庁若しくは公署、外国の官庁
若しくは公署又は学校、商工会議所、取引所その他の団体」は、民事
訴訟法186条により、裁判所の嘱託に応ずる公法上の義務を負うも
のと解されている。応じなかった場合の制裁の規定はないが、裁判
所の嘱託に応じなかった事例は経験していない。

(注3) 調査嘱託と名称が似ていて紛らわしいが、「文書の送付嘱託」と
いうツールもある。当事者が文書の所持者にその文書の送付を嘱託
することを申し立て、裁判所が文書の所持者にその文書の送付を嘱
託し、これに応じて送付されてきた文書を書証とする制度である
（民事訴訟法226条）。調査嘱託よりも、はるかに頻繁に日常的に利
用されているツールである。なお、文書の送付嘱託は、条文では、
「書証の申出は、219条の規定にかかわらず、文書の所持者にその文
書の送付を嘱託することを申し立ててすることができる。」と表現し
ており、書証の申出の方法として定められている。しかし、民事訴
訟の実務では、送付嘱託の申立人が送付されてきた文書の中から必
要な部分を選び出して謄写をし、改めて書証として提出している。
また、受訴裁判所（受訴裁判所の属する官署としての裁判所の場合

も同じ。）が保管している他の事件の記録を書証としようとする場合は、文書の送付嘱託の申立てをすることは不要であって、記録の提出（実務上は「記録の取寄せ」と呼んでいる。）を上記の受訴裁判所等に求めるだけでよい。

コラム　③　弁護士実務の経験

　ノートルデイム・ロースクール留学から帰国した後、その留学中に新設された「裁判官特別研究」という制度により、1988年4月に長島・大野法律事務所（当時の名称。現在は「長島・大野・常松法律事務所」）に派遣されて、1年間だけですが、その事務所で主として渉外案件を担当しました。前記のとおり、学生時代に渉外弁護士として活躍したいとの夢を抱いていましたから、その夢がほんの僅かながら実現したのです。

　長島・大野法律事務所は、日本を代表する超一流の法律事務所でして、私が派遣された当時、確か、日本の弁護士が30数人、米国や英国等の外国の弁護士が10人近く勤務していたと記憶しています。また、リーガルクラークと呼ばれる弁護士補助職やトランスレーターと呼ばれる翻訳の専門家も多数が勤務していました。さらに、弁護士の秘書（事務所では「セクレタリー」と呼んでいました。）のほか、会計や庶務等を担当する職員も多数いて、法律事務所全体が1つの企業のようなイメージでした。当時としては国内最大級の規模の法律事務所でして、内外の幅広い法律業務を行っていましたが、とりわけ、国際法務において卓越していました。

　1年間で30件ほどの案件を担当しました。ハワイやボ

ストンでの不動産投資、日米の企業間の取引といった国際取引に関する案件が多かったのですが、いちばん印象に残っているのは、米国連邦地方裁判所に係属する民事訴訟事件２件とニューヨークでの仲裁１件です。米国のロースクールで最も熱心に勉強した民事訴訟法（Civil Procedure）を正に実践する経験をすることができたからです。その経験が日本の民事訴訟実務を変えたいとの思いを抱かせ、実際にも民事訴訟実務を変える取組（本書で強調している「民事集中審理」を実践する取組）に繋がりました（**注**）。その取組の具体的な内容は、前記のとおりです。

　このように１年間だけですが、国際法務の最前線で仕事をしていて、幾つか印象に残ったことがありました。

　第１は、何といってもスピードです。依頼企業（事務所では「クライアント」と呼んでいました。）の担当者から難しい法律問題に対する意見書を明後日までに作成してほしいとか、英語の法律文書を至急チェックしてほしいなどと言われることもあり、とにかく迅速な仕事が求められました。裁判所では難しい法律問題があると、「では、１か月先の次回弁論期日で」などと言って、その間にじっくりと検討することができるのですが、企業取引の最前線では、そんな悠長なことは許されないのです。迅速に法的サービスを提供することが肝要でして、与えられた短い時間の中で全力を尽くすことが大事だと実感しました。

　次いで、専門性です。大企業の法務部には日本の大学の法学部や米国のロースクールを卒業した優秀なスタッフが

揃っていますから、大抵の法律業務はこなしてしまいます。したがって、法律事務所に求められるのは、そういう法務部でも対応が難しい専門的な法的サービスの場合が多いと思いました。逆にいえば、企業が求めるような専門的な法的サービスを提供することができないようでは、法律事務所の存在価値が問われかねません。私も、難しい法律問題に日々直面して苦悩し、自分の力のなさを痛感しました。

　３番目は、法的サービスを提供する際の姿勢や精神の問題です。まず、法的サービスを受けるクライアントの立場になって考えなければ十分とはいえません。クライアントが何を求めているのかを的確に把握することが大事です。内容はもちろん、どの程度の時間や費用をかけることを期待しているのか、それを的確に把握しないとクライアントの求めに応ずる法的サービスになりません。過剰なサービスでも、過少なサービスでもだめなのです。また、少しでも分かりやすく、と心がけることも必要です。説明をする相手が法務部のスタッフの場合と、営業部のスタッフや役員である場合とでは、説明の内容や方法に違いがあって当然です。他方で、法的サービスを提供する側（事務所側）も、数人の弁護士、リーガルクラーク、セクレタリーなどが協同で作業に当たることが多く、そのチームワークも重要です。お互いの信頼関係を築き、気持ちよく、円滑に仕事をする必要性を学びました。

　長島・大野法律事務所での１年間はとても懐かしい想い

出です。東京地方裁判所に戻る直前、セクレタリーのMさんの発案で特に親しくしていただいた方々と伊豆に送別旅行に行きました。また、盛大な送別会が開催され、事務所の大多数の弁護士や職員が出席してくれました。さらに、共に苦労をしたクライアントの方々も心のこもった送別会を開いてくれました（夜の予定が全て埋まり、ホテルでの朝食の送別会もありました。）。これらの方々に対する恩返しの意味でも、今後は、この貴重な経験を生かさなければならないとの思いを強くしました。

> **(注)**　本書27頁の（注5）参照。米国の民事訴訟では、「基本的な手続は陪審審理を念頭に置いて組み立てられている。…審理は陪審の面前で（直接主義）、証拠提出や弁論を口頭で行い（口頭主義）、かつ平日の午前・午後に審理が終了するまで連日で日程が組まれる（集中審理）。普段の仕事を休んで陪審義務を果たしている陪審員にとって、飛び飛びの審理日程ではかえって仕事の妨げになりうるし、また前の期日に取り調べた証拠の記憶が薄れてしまう、との懸念から、この集中審理はとくに欠くことができないとされている。」（浅香吉幹『アメリカ民事訴訟手続法』（弘文堂・2000）。米国では「集中審理」は当然の審理方式なのです。

第4　訴訟上の和解

1　基本の再認識

　大阪地方裁判所の民事通常部に勤務していた頃の出来事である。当時、初めて、合議事件の右陪席裁判官を務めながら、単独事件（週2開廷）を担当していた。前任の裁判官から引き継いだある単独事件は、和解手続に入っていた。その事件は、初老の男性が原告となり、ある専門家（具体的には覚えていない。）に対し、その専門家に別件訴訟のために作成してもらった私的鑑定書（前記のとおり、「鑑定書」と題する書面だが、当事者の依頼により作成される私的な鑑定書（意見書）であって、訴訟上の「鑑定書」ではない。）が誤った内容であったと主張して、支払済みの費用を返還するよう求めていた裁判であった。原告も被告も弁護士に訴訟代理を委任しておらず、いわゆる本人訴訟であった。鑑定書が誤った内容であったことを証明する証拠は提出されておらず、原告の請求は棄却される見込みであった。和解を勧告し、その和解の手続では、被告に対し、費用のうちの相当額を返還するよう求めた。長い時間をかけてかなり強く説得した結果、被告が応じる意向を示してくれた。ところが、原告は、その和解案に同意してくれない。この訴訟は、こういう理由で、あなたが負けるのですよと理詰めで説得した結果、その初老の男性は、和解案に同意をし、無事に和解が成立した。その初老の男性と奥さんは、ほっとした表情をしているように見えたので、和解を成立させることができて良かったと思った。

　ところが、翌日の朝、裁判所に出勤すると、裁判官室の前の廊下の椅子に原告とその奥さんが静かに座っていた。直ちに応接室で二人にお会いしたところ、原告が申し訳なさそうに「昨日の和解は撤回したい。」と言う。昨日、帰宅してから二人で話し合い、敗訴でもやむを得ないから、判決を求めることになったという。

　しかし、前日に和解は成立しているから、和解をなかったことにすることは難しい。書記官から被告に対して電話をかけてもらい、原告が和解を撤回したいと言っていると伝えたところ、被告も、昨日和解は成立したのだから、撤回を認めることはできないと言っていた。

　そこで、原告と奥さんには、和解の撤回を認めることは難しいので、期日指定の申立てをしていただき、もう一度法廷で口頭弁論を行い、訴訟は和解により終了した旨の判決をするから、その判決に対して控訴をして和解の効力を争って欲しいと申し上げた。原告は、期日指定の申立てをした。その後の口頭弁論期日では、原告に意見を求めると、和解が無効である旨の主張ではなく、原告の費用返還請求の主張について、かなり長い時間、被告の対応や鑑定書（上記のとおり私的鑑定書）に不満があることを淡々と述べた。口頭弁論を終結し、その他の数件の事件の審理を終えて裁判官室に戻ると、書記官が意外なことを言った。原告は、法廷での口頭弁論の後、書記官室に立ち寄り、「法廷で言いたいことを全部言ってすっきりしました。あの和解で結構です。」と言って必要な手続をして退出したという。

　和解の手続で原告の話をじっくり聴くべきだったと反省をした。文字どおり、和解の基本を再認識したのであった。その後は、二度とこのような事態は起こさせないと心に誓い、和解では（もちろん、法廷でも）、本人の意見をじっくり聴くことを心がけたつもりである。

2　意外な質問

　東京地方裁判所で部総括判事として民事訴訟事件を担当していたとき、裁判所の推薦により民事訴訟に関する講演会の講師を務めた。参加者（約 350 人）は、主に弁護士や企業法務の方々であり、いわばプロ相手の講演であった。そこで、単に一方的に講演をするのではなく、そういうプロの方々が日頃民事訴訟で裁判所や裁判官に対して抱いている疑問を質問としてあらかじめ提出していただき、主としてその質問に答えながら講演を進めることが妥当だと思った。また、講演中も「この論点に関して疑問を持っている方は、どうぞ遠慮なく挙手をして質問をしてください。」と申し上げていた。遠慮なく、多数の挙手があり、率直な質問があった。また、講演を始めてすぐに思いついたことであったが、ある質問、例えば、次に言及する「裁判官は、原告にも形勢不利ですよと言い、被告にも形勢は不利ですよと言って和解をすることがあるって本当ですか。」といった質問について、まず、「そう思う、同感だという方は挙手してください。」と言って会場の方々のどのくらいの割合の方が同じ疑問を持っているかを確認した。

　主催者の担当者は、参加しなかった人のために講演録を作成

したいと希望されたが、夜、それも確か雨の日にわざわざ会場
に足を運んでいただいた方とそうでない方に差が付いても仕方
がないことですなどと言って講演録の作成を断ったので、講演
録はないし、残念ながら当時のメモ等も一切残っていない。し
たがって、記憶の限りで参加者の質問とこれに対する私の応答
を再現してみたい。

　印象が強く、したがって記憶に残っているのは和解に関する
質問である。まずは、上記の「裁判官は、原告にも形勢不利で
すよと言い、被告にも形勢不利ですよと言って和解をすること
があるって本当ですか。」という質問には多数の挙手（同調者）
があって驚いた。私は、前記のとおり、審理の進行に沿って原
告に有利か被告に有利かの暫定的な形勢判断を行い、それに基
づいて判決起案をしていた。したがって、和解協議では、その
形勢判断に従い、その時点における心証を示して（場合によっ
ては、示唆して）和解協議を進めていたのであって（実務上は
「暫定的心証開示」などと呼んでいる。）、原告にも形勢不利です
よと言い、被告にも形勢不利ですよと言って和解をすることな
どは到底考えられない。講演会でも、そう説明をしたと思う。
多数の関係者がそういう疑問を抱いていること自体がむしろ意
外であった。まさか、そういう裁判官がいるとは信じたくな
い。

　また、「裁判官は、判決が書きたくないから和解をすすめるの
ですか。」という質問もあり、やはり、多数の挙手（同調者）が
あった。従前から、裁判官は、訴訟において争点について判断
をし、その判断に基づいて判決を書くことが最も主要な仕事で

あって、そういう仕事をしたい、そういう仕事をすることにや
りがいを感じるという人が裁判官に任官していると思ってい
た。ただし、率直に言って、講演会以前にも、そういう疑問を
耳にすることはあった。そう疑われても仕方のないような言動
をする裁判官がいたのかもしれない。しかし、私は、そういう
疑問は裁判官の沽券に関わる最も重要な問題だと感じていた。
判決が書きたくないから和解をすすめる裁判官がいるとすれ
ば、プロフェッショナルとして失格であるとさえ思う。そうい
う疑問を払拭することが必要であり、そのためにも（もちろん、
主たる動機ではなく一つの動機にすぎないが）、審理に沿って
暫定的な心証を形成し、その心証に沿った判決書を作成し始
め、集中証拠調べ前には判決書が暫定的に完成し、集中証拠調
べ後に速やかに判決書を完成するという「判決起案並行方式」
を実践していたのである。すなわち、和解勧告をするときは、
その時期にもよるが、大多数の場合に暫定的な判決書か最終的
な判決書が完成していた。したがって、上記の質問に対して、
判決を書きたくないから和解をすすめることはないし、そうい
う裁判官はいないものと信じていると答えたと思う。

　さらに、「裁判官の和解勧告に対して、その場で直ちに和解の
話合いに応じないと答えると裁判官の心証を害し、訴訟に不利
に働きますか。」という質問もあった。これも意外な質問で
あった。和解に応ずる気がないのなら、その場で率直に言って
もらった方が無駄な時間や手間がなくていいと思っていたから
である。講演会でもそういう説明をしたと思う。

　また、「和解をしたい旨の申出をすると、不利な形勢判断をし

ていると受け取られるおそれがあるから、そういう申出をしにくいのですが、裁判官はそう受け取るのですか。」という質問もあり、やはり、挙手（同調者）が多かった。少なくとも私はそう受け取らないし、多くの裁判官も同様だと思うというのが私の回答であった。もちろん、当事者がそういう不安を感じて和解の申出をしにくいことは十分に理解しており、私は、折に触れて積極的に双方の弁護士に対し「和解はいかがでしょうか。一度、和解の意向をお聞きする機会を設けましょうか。」などと打診をしていたし、弁護士と電話等で話をする機会に同様の打診をしていた。また、担当書記官が弁護士に何らかの連絡をする際に、私の指示に従って同様の打診をすることもあり、その返答を担当書記官から聞いていた。控訴審で和解を勧告し、速やかに和解が成立した事件が意外と多数あり、そういう事件で、控訴人の弁護士が「原審で和解をしたかったのですが、当方からは言い出しにくく、担当裁判官が一度も和解の打診も勧告もしてくれなかったのです。」などと原審の裁判官に対する不満を述べていたことが印象的であった。少なくとも、上記のとおり和解の打診をすることは、裁判官にとって極めて容易であり、裁判官の責務であるとさえ私は考えている。

3　和解案の提示

　裁判所が和解案を双方当事者に提示するタイミングや方法については、正に臨機応変であって、決まったルールはない。

　第1回口頭弁論期日で、被告が原告の請求を争わず、和解を希望する事件があり、その大多数の事件では、速やかに和解が

成立する。私の経験では、第1回口頭弁論期日で、被告が原告の請求を争う事件であっても、その場で、双方当事者の弁護士に「和解はどうですか。」と尋ね、双方から「和解をする気はあります。ただし、裁判所から和解案を示してください。」といった返答を得て、直ちに和解案を提示し、その場で又は次の和解期日で和解が成立した事件もあった。

　弁論準備手続に移行した事件でも、当事者双方に和解を打診し、その前向きな返答を得て和解協議に移行し、早々に和解が成立する事件も少なくない。最終的には形勢が不利だと判断している弁護士が、あえて争点及び証拠の整理手続が進む（徐々に形勢が不利に傾く）前に積極的に和解を申し出て和解の成立に至る事例もある。相手方にとっても、早期の和解成立にメリットがある場合が少なくないからである。

　争点及び証拠の整理手続がある程度進んでから（もちろん、「判決起案並行方式」では、判決書案の作成も進んでいる。）、裁判所が和解を勧告し、又は当事者から和解の申出があって、和解協議に移行する事件が比較的多かったと思う。そういう和解協議では、まず、当事者双方の出席する場で、和解を勧告した場合は和解を勧告した理由を申し上げ、事案に関する暫定的な心証を説明した上で、このまま当事者双方の出席する場で手続を進めること（両当事者対席方式）を希望しますか、それとも、別々に面接をして手続を進めること（交互面接方式）を希望しますか、と訊くことが多かったが、当事者双方の出席する場で手続を進めることを希望した弁護士は皆無であった。私がそういう質問をする前に、当事者双方から別々に面接をしてくださ

　いと言われたことも多かったと思う。したがって、原則として、当事者双方の希望に従い、別々に面接をして手続を進めていた。民事訴訟法学者の中には、交互面接方式を非難し、両当事者対席方式を理想とする方がいることは承知しているが、当事者双方が交互面接方式を希望しても、その希望に反して両当事者対席方式を採るべきであると主張されるのであろうか。

　また、和解協議の早い段階で裁判所の和解案を提示するかどうかも、事案による。早い段階で裁判所の和解案を提示した方が和解が成立しやすいと判断すればそうするし、当事者双方の意見を十分に聴いた上で和解案を提示した方が和解が成立しやすいと判断すればそうするだけのことである。また、当事者双方に「和解はいかがですか。」などと打診をして、当事者双方から、例えば、「争点及び証拠の整理がある程度進んだ段階でお願いします。」などという返答があり、その後、争点及び証拠の整理がある程度進んだ段階で、再度の和解の打診をして、和解協議に移行したこともあった。要するに、前記のとおり、和解については、臨機応変に行うことが肝要である。

　もちろん、和解協議で当事者の一方が積極的に和解案を提示する場合もある。相手方の対応も、その和解案をそのまま受け入れる場合、対案や修正案を出す場合、その和解案を拒否する場合等の様々であるし、和解協議を重ねた上で、和解が自然と成立する場合もあれば、和解協議が行き詰って裁判所が改めて和解案を提示する場合もある。また、訴訟外で当事者双方が和解協議をして和解が成立する場合もある。印象的であった事例は、企業間の取引をめぐる紛争に関する訴訟で、弁論準備手続

で争点及び証拠の整理をしていて、大分整理ができたので、次の弁論準備手続期日では和解勧告をしようかと思っていたところ、その弁論準備手続期日で、双方の弁護士から、争点及び証拠の整理が進んで見通しが立ったから、訴訟外で和解協議をして合意に達したので、和解を成立させてほしいとの申出があり、もちろん、即座に和解が成立した。前記のとおり、当事者主導で和解協議が進み和解が成立することは現状ではなかなか難しいと述べたが、例外的事例とはいえ、上記のとおり当事者主導で和解協議が進み和解が成立することもあり、今後、弁護士が活躍してそういう事例が増加するよう大いに期待をしたい。

　裁判官が和解案を提示するときは、できる限り書面で提示することが効果的であり、前記のとおり、私は、しばしば和解案を書面で提示し、その大多数の場合に和解の成立に至っていた（記憶の限りでは、和解案を書面で提示し、その後、双方の意見を聴いて和解案を修正しながら和解協議を重ねたにもかかわらず、和解が成立しなかった事件は思い出すことができない。しかし、記憶していないだけで、和解が成立しなかった事案があったかもしれないことを慮って「大多数の場合に」とした。）。

4　和解成立の諸事情

(1)　和解協議で「謝罪条項」を入れるかどうかをめぐって対立することがしばしばある。その場合に無事解決し、和解が成立した事件があったので、まず、紹介したい。その事案は、会社が従業員に対して配置転換を命じたところ、その従業員が会社に対して配置転換命令が違法であると主張して訴えを

提起した事案であった。この事件では、従業員を労働組合が
全面的に支援していた。第一審の地方裁判所は、その配置転
換命令が違法であると認めて原告の請求を認容した。会社が
控訴したが、控訴審でも裁判所は配置転換命令が違法である
と判断し、被控訴人（従業員）に有利な方向で和解手続を進
めていて、その途中で私が主任裁判官を引き継いだ。裁判所
の心証を示しながら双方を説得して和解が成立する見込みと
なった。しかし、被控訴人（従業員）及び労働組合の幹部は、
控訴人（会社）が被控訴人に対して謝罪する旨を和解条項に
明記することを強硬に求め、他方で、控訴人は、そういう謝
罪文言を入れることには強硬に反対し、デッドロックに陥っ
た。

　そこで、一案を捻り出した。被控訴人に対しては、控訴人
のしかるべき地位にある者に和解成立に立ち会ってもらい、
その場で、被控訴人に対し、口頭で謝罪する方向でどうかを
持ちかけた。和解成立の場で、すなわち、裁判官の面前で、
控訴人のしかるべき地位にある者が被控訴人に謝罪をさせる
ことが重要であり、和解調書には口頭で謝罪が行われたこと
も一切記載しないが、和解成立の席において裁判官の面前で
控訴人のしかるべき地位にある者が被控訴人に対して謝罪を
したとの事実を労働組合の新聞やチラシ等に書いて配布すれ
ばいいのではないかという趣旨であった。被控訴人は、口頭
で謝罪する者として人事部長を希望しつつ、その提案を受け
入れてくれた。控訴人も、人事部長が和解成立に立ち会って
原告に対して口頭で謝罪する提案を受け入れてくれた。そし

て、次回の和解期日には、実際に控訴人の人事部長が和解に
立ち会って原告に対して口頭で謝罪し、無事、和解が成立し
た。

(2)　また、謝罪条項ではなく、むしろ、逆の話であるが、和解
協議において、一方の当事者が相手方に文句を言いたいと希
望した事案があった。その事案は、原告（会社）が被告（会
社）に対して建物（ビル1棟）を賃貸したところ、無断で大
幅な改装や改造の工事をしたことが賃貸借契約の条項に違反
するから賃貸借契約を解除すると主張して建物の明渡しを求
めた事案であった。和解手続を進め、和解が成立する見込み
となったが、原告の社長（会長だったかもしれない。いずれ
にせよ、原告の最高経営責任者）が入院中であるが、被告の
幹部に対し、「被告の幹部との緊密な人間関係から、被告に対
して優遇的な条件で建物を賃貸したにもかかわらず、契約に
違反して無断で大幅な改装や改造の工事をしたことは誠に遺
憾であり、決して許さないつもりであったが、裁判所の和解
勧告により、再度の機会を与えるので、二度と違法な行為は
しないようにしなさい。」と文句を言いたいと希望していた。
病院で和解を成立させることは難しいので、さて、どうする
かと思ったが、たぶん原告側の弁護士の案であったかと思う
が、和解の場で原告の社長の上記の文言を録音したテープを
再生して聴く案が出され、被告も同意をした。次回の和解期
日に、実際に原告の社長の上記の文言を録音したテープが再
生され、これを被告の幹部が神妙に拝聴して、無事、和解が
成立した。

(3)　さらに和解条項に「金一封」を授与する旨の和解が成立し
たことがあった。もっとも、この和解は、40年近く前の初任
の横浜地方裁判所でのことである。この和解に関わった他の
部の左陪席裁判官から聞いた話であるから、正確性にやや自
信はない。その事案は、弁護士が旅館に泊まったところ、食
中毒騒ぎとなり、病院に搬送されたので、その旅館に対して
慰謝料の支払を求めた（病院の費用等は旅館が負担していた
のだと思う。）という事案であったと記憶している。裁判長
は、原告（その弁護士。本人訴訟であった。）に対し「先生は、
まさか、お金が欲しくて訴えを起こしたわけではないですよ
ね。旅館に対し、反省してほしい、こういう騒ぎは二度と起
こさないでほしいという気持ちで訴えを提起されたのですよ
ね。」などと言った。これに対し、原告は「もちろん、旅館に
対し、けしからん、反省せよという趣旨であって、お金が目
当てではありません。」などと答えた。そこで、裁判長は、
「では、和解金の多寡は問いませんね。食中毒騒ぎについて、
被告に猛省を求め、謝罪をさせましょう。その上で、和解の
席で被告に金一封を授与させましょう。」などと持ち掛けた
という。そのやり取りから、原告は、「金一封とはいくらなの
ですか。」と金額をきくにきけず、その提案に同意をせざるを
得なかったし、もちろん、被告も同意をした。そして、次回
の和解期日では、被告が持参した金一封を原告に授与し、和
解が無事成立したという。和解条項にも、「本日、和解の席上
で、被告は、原告に対し、金一封を授与し、原告は、これを
受領した。」などと記載されたと思われるから、金一封の金額

は永遠に謎のままであった。金一封を授与する旨の和解は、ぜひ担当する事件で提案してみたいと思っていたが、ついに提案する適切な事件を担当することはなかった。ただ、和解について大いに創意工夫の余地があることを学んだことはその後の裁判官人生にとって貴重な経験になったと思う。

5　和解不成立（和解拒否）の諸事情

　和解協議で裁判所が原告が勝訴したときと同様の金額の和解金を支払う旨の和解案を提示し、その和解案に被告が同意したにもかかわらず、原告が同意をせず、和解が成立しなかった事例を紹介したい。

(1)　まず、原告（女性）が被告（男性。職業は弁護士）に対し、被告が原告と交際をしている途中で他の女性と婚姻したにもかかわらず、その後も、婚姻の事実を秘して原告と性的関係も含む交際を続けたと主張して慰謝料等の支払を求めた事案であった。原告主張の事実が証拠上も明らかに認められるため、和解勧告をした。当事者双方（原告には弁護士が付いていた。被告は本人訴訟。）に対し、判決の場合の認容額と同額の和解金を被告が原告に支払う旨の和解案を提案した。被告の同意は容易に得られたが、原告は同意をしない。原告は、金額に不満があるわけではないが、判決がほしいという。どうしてかと訊くと、その判決書を添えて被告の懲戒を申し立てるつもりだと言った。もちろん、判決に控訴はなく、確定したが、その後、懲戒の申立てがあったかどうかは知らない。

(2)　次いで、A（高齢の男性）が手術後の入院中に死亡する事

故があり、Ａの遺族（妻と子。原告ら）が病院（被告）に対し担当医師に過失があったと主張して損害賠償請求をした事案があった。地方裁判所は、担当医師に過失はあったが、その過失とＡの死亡との間に相当因果関係があると認めることができないと判示して少額の慰謝料を認容した。原告らが控訴をして、担当医師の過失とＡの死亡との間に相当因果関係があると主張した。その控訴審を主任裁判官として担当した。控訴審で新たな証拠調べはしていない。しかし、原審で取り調べた証拠を精査したところ、担当医師の過失とＡの死亡との間に相当因果関係があると認められるとの心証を得た。合議体でも同様の結論となり、双方に和解勧告をした。私が受命裁判官として和解を担当し、被控訴人に対し、過失と死亡との間に相当因果関係があると認められることを証拠を示して粘り強く説得したところ、被控訴人は裁判所の和解案（もちろん、過失と死亡との間に相当因果関係があると認められることを前提とする多額の和解金を被控訴人が控訴人らに支払う旨の和解案）に同意した。ところが、控訴人らは和解案に同意しない。理由を尋ねると、和解金の金額に不満があるわけではないという。控訴人らのうちのＡの子が医療従事者であり、同じ医療従事者として病院や担当医師の行為は許せないから、これを明らかにする判決を求めるという返事であった。後日、裁判長が和解案と同様の内容の判決を言い渡したが、判決言渡期日に傍聴席の最前列に控訴人らが座って判決の言い渡しを聴いていた姿が目に焼き付いている。双方から上告はなく、その判決は確定した。

コラム ④ 幾代通先生の想い出と不動産登記法の改正

　昨年（平成13年）の6月29日付けで、法務省民事局民事第二課長になり、早速購入した図書の一つが、幾代通著＝徳本伸一補訂「不動産登記法［第4版］」（平成6年・有斐閣・法律学全集）です。この本を読み返してみますと、幾代通先生のことをとても懐かしく思い出します。

　私は、昭和48年（1973年）に東北大学法学部に入学しました。もっとも、最初の2年間は教養部に在籍し、3年目に法学部に進学するというシステムでした。その教養部の2年目の2年生のときに法学部の講義の一部が始まりました（そのときだけ法学部に行って講義を受けたのです。）。具体的には、憲法、民法第一部（総則・債権法）、刑法第一部（総論）などであったと記憶しています。

　当時の法学部の民法担当教授には、幾代通教授、鈴木禄弥教授、広中俊雄教授、太田知行教授が揃っていらしたため、日本で最も充実した民法の教授陣だといわれていました。そのことを私たち学生は大変誇りにしていました。当時の民法の講座は、第一部（総則・債権法）、第二部（物権法・担保物権法）、第三部（親族法・相続法）の3講座に分かれていました。どの教授がどの講座を担当するのかは、年によって異なり、私が2年生のときの民法第一部（総則・債権法）講座の担当教授は幾代先生でした。

　幾代先生は、学生が初めて民法を勉強するときは債権各論、しかも不法行為法から始めた方がわかりやすいというお考えでした。すなわち、民法総則や債権総論には抽象的な規定が多いから、初めて法律学を学ぶ学生には理解が難しい。また、若い学生が不動産取引等を経験していることはあまりないでしょうから、そのような観点からは、不動産の売買等が中心となる契約法よりも、交通事故等からイメージが掴みやすい不法行為法が向いている。そういう趣旨の説明が講義のはじめにあったように思います。そこで、幾代先生の民法第一部の講義は、不法行為法から始まりました。民法は、その条文の順番に従って、まず総則から勉強するものだと漠然と信じ込んでいた私たち学生が、その自由な発想に驚いたことは当然でしたが、いまになってみると、とても合理的な講義の順序であったとつくづく感じます。あとでわかったことですが、当時、幾代先生は、不法行為法に関する概説書（注1）の原稿をお書きになっており、そのご研究をベースにされた最新の内容の講義であったと思います。また、総則については、すでに「民法総則」（昭和44年・青林書院新社・現代法律学全集）を出版されていましたが、これはとても詳しい体系書ですから、教科書には向かない、とおっしゃって、参考書としての利用を勧められました。民法総則も債権法も、先生が指定された教科書は、有斐閣双書の民法のシリーズでした。なお、翌年、3年生のときに受講した民法第二部（物権法・担保物権法）講座のうち、物権法は幾代先生が、担保物権

法は鈴木先生が担当されたと記憶しています。また、民法
第三部（親族法・相続法）講座の担当教授は広中先生でし
た。したがって、民法の財産法のうちの大部分を幾代先生
に教えていただいたことになります。

　その幾代先生の講義は、とてもわかりやすく、その講義
に対する姿勢は、とても紳士的でした。講義に出席した学
生の身で、こんな感想をもつことは大変僭越であります
が、先生がときおり講義で述べられる法解釈も、バランス
のとれた穏当な解釈だと思われました。すっかり、幾代先
生のファンになってしまったのです。そこで、翌年は、ぜ
ひ幾代先生の民法演習（ゼミ）にも参加したいと思い、指
定されたレポートを書いて提出し、参加の申込みをしまし
た。曖昧な記憶ですが、レポートのテーマは複数あり、そ
のうちから１つを選択する方式だったと思います。確かな
のは、私が不動産登記に関わるテーマを選び、そのレポー
トを作成する過程で、幾代先生が書かれた「不動産登記法
［新版］」を読んだことです（したがって、冒頭で「読み返
した」と表現したのです。）。しかしながら、私のレポート
の出来が悪かったためか、幾代先生のゼミには入れません
でした。とても残念で、悔しい思い出です（**注2**）。

　その後、卒業式の日、私からお願いをして、法学部長に
なられていた幾代先生と二人だけで、法学部の校舎の前
で、記念の写真を撮りました。その際、進路を聞かれ、司
法修習生になります、と返事をしたことも覚えています。
笑顔の幾代先生と一緒に写っているその写真は、いまでも

大切に保管しています。

　いま、不動産登記法を所管する課の課長になり、近い将来、オンライン申請を可能とすること等の不動産登記法の改正をする準備作業に携わっています。

　ご承知のとおり、政府は、高度情報通信ネットワーク社会の形成を目指しています。その基本的な方針の一つが電子政府の実現であり、行政の情報化の一環として、行政上の申請や届出等の手続のすべてについて早急にオンライン化を図ることとされています。したがって、不動産登記申請についても、インターネットによるオンライン申請も可能とする新たな制度の構築が喫緊の課題となっているのです。むろん、不動産登記申請については、現在、書面主義が採用されていますし、当事者出頭主義、共同申請主義等が採用されている手続もある上、多数の書類が添付書類とされている場合が多いことなどから、オンライン申請制度の導入にあたっては、従来の書面を前提とした仕組みとは全く異なった観点から検討して解決しなければならない多数の問題があります。そうしますと、不動産登記申請についてオンライン申請制度を導入することに伴い、現在の不動産登記制度の全般について見直しをする必要が生ずるものと思われます。

　また、司法制度改革審議会が昨年6月12日に内閣に提出して公表した意見書において指摘されているとおり、片仮名文語体の法律を現代語化することは、法令の内容を国民にとってわかりやすいものとするために重要なことであ

ると思います。したがって、いまから 100 年以上も前の明治 32 年（1899 年）に制定された片仮名文語体の不動産登記法を現代語化することにもチャレンジしてみたいと考えています。

　幾代先生が仮にご存命であれば、出来の悪かった私のレポートを思い出されて、「小林君が不動産登記法の改正を担当するって。大丈夫かなあ」と心配顔をされたことでしょう。少しは成長したな、と先生に言っていただけるよう、全力で不動産登記法の改正作業に取り組みたいと思います。

（注1）　昭和 52 年に出版された「不法行為」（筑摩書房・現代法学全集）です。なお、後に徳本伸一教授が改訂をされて、現在は、幾代通著＝徳本伸一補訂「不法行為法」（平成 5 年・有斐閣）として出版されています。

（注2）　3 年生のときは、幾代先生の民法ゼミに参加の申込みをしたのと同時に、荘子邦雄先生の刑法ゼミにも参加の申込みをし、幸い、参加を認めていただきました。また、4 年生のときは、外尾健一先生の労働法ゼミ、望月礼二郎先生の英米法ゼミにも参加を認めていただきました。荘子先生、外尾先生、望月先生には、それぞれのゼミでご指導をいただき、心から感謝しております。

〔補足〕本稿は、「幾代通先生の想い出と不動産登記法の改正」登記研究 648 号（テイハン・2002）7 頁の再録です。

法務省民事局民事第二課長として書いた原稿です。当時、「司法書士法及び土地家屋調査士法の一部を改正する法律」（後に平成 14 年法律第 33 号として成立した。）の立案をほぼ終え、次の大きな課題である不動産登記法を大幅に改正する準備作業に携わっていました。私は、残念ながら、その作業の途中で東京高等裁判所判事に異動したため、新しい不動産登記法（平成 16 年法律第 123 号）の成立まで担当することはできませんでした。新しい不動産登記法については、山野目章夫教授の著書である『不動産登記法【第 2版】』（商事法務・2020）及び『不動産登記法概論－登記先例のプロムナード』（有斐閣・2013)、鎌田薫・寺田逸郎編『新基本法コンメンタール 不動産登記法』（日本評論社・2010）をご覧ください。私も『新基本法コンメンタール 不動産登記法』の一部の執筆を担当しています。

コラム ⑤　鮮やかな手捌き

　星野英一先生は、成年後見制度の創設について主導的な役割を果たされました。法務省民事局参事官として成年後見法の立案作業を担当し、星野先生からご指導をいただいた者として、星野先生のご功績について申し上げ、先生を偲ぶよすがとしたいと思います。

　いまも大切に保管しているジュリスト 1172 号（新しい成年後見制度の特集号）に「成年後見制度と立法過程〜星野英一先生に聞く」が掲載されています。星野先生が成年後見法の成立直後に応じられた 15 頁にも及びインタヴュー記事です。この特集の企画について編集部から相談があったとき、先生のご功績をぜひとも後世に伝えたいと思い、星野先生にインタヴューをして記事にしてほしいとの要望をして実現した記事です。この記事を読み直してみますと、その要望をして本当に良かったと思います。法制審議会民法部会長等として成年後見制度の創設を牽引された星野先生が、自ら、成年後見制度の意義、特徴、理念等を語られていますし、新しい制度の内容についても、そこに至った経緯や背景事情等を含めて分かりやすく解説されています。さらに、法制審議会における立法プロセスについても詳しく説明されています。ぜひとも、この記事をご覧いただければ幸いです。

　かつての禁治産及び準禁治産の制度を抜本的に改正し、新しい成年後見制度を創設する必要があることは関係者の共通の理解でした。民法の改正ですから、法制審議会での審議が不可欠ですが、その審議に先立ち、平成７年７月、法務省民事局内に成年後見問題研究会が設置され、法制審議会民法部会長の星野先生が自ら座長を務められました。その研究会は、約２年間にわたり、諸外国の制度の調査、関係者のヒアリング等を実施した上で、問題点の整理等の基礎的な調査検討を行いました。私は平成９年７月に東京地方裁判所から法務省民事局に異動し、民法担当の参事官となったため、その研究会の最後の会議に出席しました。それが星野先生との最初の出会いでした。

　その研究会の成果を受けて、平成９年10月、法制審議会民法部会に成年後見小委員会が設置されて本格的な審議が始まりました。星野先生は、その小委員長に就任されました。私や担当局付らは、その事務局として先生を補佐することが役目ですから、会議に出席して事務局案の説明等をすることは当然として、東京大学法学部の名誉教授用の部屋に伺い、先生と打合せをしていました。学生時代も、その後の裁判官時代も、星野先生の「民法論集」等の多数の論文や「民法概論」を読んで民法を学んでいましたから、正直申し上げて、まさに仰ぎ見る民法学の第一人者から直接ご指導をいただけるとは何と幸せなことかと思っていました。

　法制審議会の民法部会及び成年後見小委員会の審議で

は、補助制度を創設するかどうかを含めて法定後見制度の整備に関して多数の重要な論点があったほか、任意後見制度や後見登記制度について、そもそも制度を創設するかどうかを含めて多数の重要な論点がありました。星野先生は、かつて委員であったときは自らの意見を明確に述べることが多かったと聞いていましたが、部会長や小委員長として議事の進行をされたときは、重要な論点について、委員や幹事が徹底的に議論をすることができるよう配慮をされていました。また、利用者の立場にある福祉関係の委員や有識者の委員が意見を述べやすいよう配慮をされていました。その上で、議論の大勢を見極めて上手に収束させていました。私は先生の隣に座り、その鮮やかな手捌きに魅入っていました。

　審議は順調に進み、成年後見制度の改正に関する要綱試案が取りまとめられ、その試案について意見照会の手続が行われました。福祉団体や経済団体を始めとする多数の団体や機関等から、要綱試案に賛成し、その実現を求める多数の意見が提出されました。この多数の意見を星野先生は重視しておられましたし、その後の審議にも弾みが付き、平成11年2月には法制審議会が法律案の要綱を法務大臣に答申するに至りました。これを受けて、法務省民事局が新しい成年後見制度を構築する4本の法律案を立案し、これが国会に提出されました。この法律案は、両院で全会一致で可決され、同年12月1日に法律として成立しました。直ちに星野先生に法律の成立をご報告し、先生のご尽力に

心から感謝を申し上げました。

〔補足〕本稿は、「鮮やかな手捌き」内田貴・大村敦志・星野美賀子編『星野英一先生の想い出』（有斐閣・2013）108頁の再録です。星野英一先生が2012年（平成24年）9月に逝去され、「先生の想い出を語るよすがとなると同時に、民法学に関心を寄せる人々にとっては、20世紀後半の日本の法学にひとつの時代を築いた星野英一という学者の人格と学問を知る上での貴重な材料になる」（『星野英一先生の想い出』の「あとがき」）ものとして編まれた文集です。当時、仙台地方裁判所長を務めていた私にも寄稿の機会を与えていただきましたので、星野先生に対する感謝の気持ちを込めて寄稿させていただきました。

第5　控訴審の実務

1　事件記録の精査

⑴　原審（第一審）では、争点及び証拠を整理し、その争点について集中証拠調べを行う集中審理を行っている。したがって、控訴人が、控訴の理由として、原判決の認定や判断の誤り（事実認定の誤り、認定した事実の評価の誤り、法律判断の誤り等）を主張することが一般的である。「新しい主張」と称する主張が提出されることもあるが、多くの場合は、原審での主張の焼き直しにすぎず、原判決を変更する必要が生ずるような新しい主張やこれを裏付ける証拠が提出されることは稀である（真に新しい主張であっても、時機に遅れた攻撃防御方法として却下されることがある。）。すなわち、原審の認定や判断に誤りがあって、原判決の変更・取消しが必要となる場合が2割程度はあるが、その大部分は、原判決の認定や判断に誤りがあるからであり、控訴審で「新しい主張」や証拠が提出された結果ではないことが大部分である。以上のとおり、控訴審では、原審記録を主要な内容とする事件記録を精査することが肝要であり、これにより控訴審の結論（原判決を維持するか、変更・取消しするか）が出る場合が大半を占めるといっても過言ではない。したがって、控訴人の弁護士も、控訴理由書において、原判決の認定や判断の誤り（事実認定の誤り、認定した事実の評価の誤り、法律判断の誤り等）を具体的に説得力をもって書くことが望まれる（原判決や原審の審理を単に非難する控訴理由書を提出しても効果

121

はないし、かえって裁判官の心証に悪影響を与えることが多い。）。

(2)　事件記録の精査についてもう少し詳しく説明しよう。

　　高等裁判所（控訴審）では、全部の事件を３人の裁判官が構成する合議体が担当する。合議体は、裁判長と２人の陪席裁判官が構成し、全部の事件について、その部の部総括裁判官が裁判長を務め、陪席裁判官のうちの１人が主任裁判官を務める。主任裁判官は、あらかじめ決まっている順序に従って自動的に決まる。部に陪席裁判官が３人以上いるときは、合議体を構成する他の陪席裁判官（便宜上「相陪席裁判官」と呼ぶ。）も自動的に決まるよう内部の取決めがある。主任裁判官は、一般的には、合議体を構成する３人の裁判官の中で最初に事件記録を精査する役割を担っている。そして、事件記録を精査した上で、合議メモを作成し、必要に応じて当事者の弁護士と連絡を取り（書面提出の催促や提出済みの書面の記載内容の趣旨の確認等の場合が多いが、和解の打診をすることも少なくない。）、合議において合議メモに従って事案の概要等を説明し、和解を試みる場合は、受命裁判官として和解を担当し（注1）、最終的に判決書を起案する。

(3)　私が東京高等裁判所の陪席裁判官であったときは、主任裁判官として担当する事件については、まず事件記録（原審記録のほか、控訴状や控訴理由書等）を精査し、合議メモ（注2）を作成して、相陪席裁判官及び裁判長に提出していた。その後、第１回口頭弁論期日までに行う「合議」（注3）では、合議メモに従って事案の概要等を説明し、裁判長及び相陪席裁判

官と議論をしていた。その合議で議論をした結果、合議メモ
に記載した私の結論に関する意見が維持されたことが多かっ
たが、変更されたことも複数回はあったと記憶している。相
陪席裁判官であったときは、まず、主任裁判官の合議メモを
読んで事案の概要を理解した上で、事件記録を精査して合議
に臨み、自分の意見を積極的に述べて議論をしていた。

(4) 東京高等裁判所の部総括裁判官（裁判長）であったときは、
当初は、主任裁判官の合議メモの提出を受けてから事件記録
を精査して合議に臨んでいたが、複雑困難な事件（事件記録
も大部のことが多いが、事件記録は大部ではないが、事実認
定や法律判断が微妙で判断が難しい事件も含む。）について
は、主任裁判官も事件記録の精査や法律問題の調査等に苦心
をして合議メモの提出が遅れがちになり、そうすると、私が
事件記録を精査する時間が限られてしまうため、途中から方
針を転換し、第1回口頭弁論期日を指定したら直ちに事件記
録を精査することとしていた。第1回口頭弁論期日まで1か
月半ほど前の時期であり、むろん、主任裁判官が事件記録を
精査するはるか前の時期である。大抵の場合は、控訴理由書
がいまだ提出されていない段階にあったが、原審記録部分を
丹念に読むと、原判決を維持すべきかどうかを暫定的に判断
することができた。原判決の不備な箇所や弱点等を見つけて
原判決の取消しや変更の判断を暫定的にしたときは、控訴人
が控訴理由書でその主張をするかどうか、被控訴人が的確な
反論をするかどうか、主任裁判官がどう判断するか（どうい
う合議メモを作成するか）を心待ちにしていた。逆に原判決

の維持の判断を暫定的にしたときも、控訴人が控訴理由書でどういう主張をするのか、被控訴人が的確な反論をするかどうか、主任裁判官がどう判断するか（どういう合議メモを作成するか）を楽しみにしていた。もちろん、その後、控訴理由書や追加の書証、控訴理由に対する被控訴人の反論の書面や追加の書証等が出て、暫定的な判断を変更する場合もあったが、大多数の事件では変更する必要がなかったし、少なくとも結論を大きく変更したことはなかったと思う。

（注1）　ただし、一人の陪席裁判官が主任裁判官を務める2件の事件が同時に口頭弁論を終結し、引き続いて和解協議が始まることもあり、その場合は、1件をその陪席裁判官が受命裁判官として担当し、もう1件を主任裁判官に替わって裁判長が受命裁判官として和解を担当することがある。また、主任裁判官が担当する和解の協議が行き詰まり、裁判長が途中から2人目の受命裁判官として主任裁判官とともに和解を担当することもある。私が陪席裁判官であったときの裁判長（3人）のうちのA裁判長は、しばしば行き詰った和解協議に途中から受命裁判官として参加し、多数の事件を和解成立に導いていた。その手腕は見事であった。

（注2）　合議メモにも様々なものがあるが、私は、事案の概要（争点及び争点に関する判断を含む。）、原判決のそれぞれの争点に対する判断が妥当であるか否か、控訴審としての結論（原判決維持か、変更・取消しか）とその理由を簡潔に書いていた。要するに控訴審判決の要約版である。そして、訴訟の進行に関する意見も書いていた。もちろん、第1回口頭弁論期日で弁論を終結し、同時に和解勧告（和解

の方向性も含めて）をすべきであると書くことが多かった。実際の事例はほとんどなかったが、弁論準備手続に移行して争点及び証拠の整理をやり直すべき事案では、そういう意見を書いていた。事件によっては、控訴審判決書案を起案して合議メモに添付していた。

（注3）　裁判所法75条は、「合議体でする裁判の評議は、これを公行しない。…。」と定めて、合議体を構成する裁判官が事件について議論をすることを「評議」と呼んでいるが、民事訴訟の実務上は、理由は不明だが、「評議」と呼ばす、「合議」と呼んでいる（私は、裁判官時代に「評議」との言葉を聞いたことはない。）。ただし、刑事事件の裁判員裁判では、裁判所法に規定するとおり「評議」と呼んでいるようである。

2　審理及び判決・和解

(1)　控訴審における審理

　上記のとおり、原審では、争点及び証拠を整理し、その争点について集中証拠調べを行う集中審理を行っているから、控訴審で全く新しい主張や証拠が提出されることは少ない（仮に提出されても、原審での審理等に鑑み、時機に遅れた攻撃防御方法として却下されることもある。）。したがって、控訴人は、大多数の事件では、控訴の理由として、原判決の誤り（事実認定の誤り、認定した事実の評価の誤り、法律判断の誤り等）を主張する。そうすると、裁判所も、原判決に誤り（事実認定の誤り、認定した事実の評価の誤り、法律判断の誤り等）があるか否かを審査すれば足りるから、第1回口頭弁論期日で口頭弁論を終結する事件が大部分である。もちろん、控訴事件を担当す

る弁護士も大多数が第1回口頭弁論期日において口頭弁論が終結されることを前提に必要な準備をしている。

　事件としては少数だが、第1回口頭弁論期日で口頭弁論を終結せず、口頭弁論を続行とし、又は弁論準備手続に移行する事件もある。典型的なのは、原審の欠席判決に対する控訴事件であり、当然ながら、弁論準備手続で争点及び証拠を整理することから始める（欠席判決に対する控訴事件で、被告が和解を目指して控訴をし、控訴審で和解を希望する場合もあり、その場合は、和解手続に移行する。）。その弁論準備手続は、主任裁判官が受命裁判官として担当する。また、原審での争点及び証拠の整理が不十分な事件、控訴審で控訴人が全く新たな主張や立証の申出をし、その主張や立証の申出が時機に遅れた攻撃防御方法に当たらない場合も、口頭弁論を続行とし、又は弁論準備手続に移行する。

　原判決を読んだだけで（その他の事件記録を読むまでもなく）、事実認定、認定した事実の評価、法律判断等が間違っていると判断することができる事件もあった（もちろん、念のため、事件記録も精査する。）。

　事実認定については、次の事案が印象的であった。すなわち、原告が被告に対し被告が原告の店の骨董品を誤って落として壊してしまったと主張して損害賠償を請求した事案であり、被告は単に否認するのみで積極的な反論反証等は一切していないにもかかわらず、原告の供述や店の従業員等の証言の些細な食い違いを指摘してその供述や証言を採用せず、請求の原因の事実を認めるに足りる証拠はないと判示して請求を棄却したの

であった。原判決を読んだだけで、事実認定が誤っていると判断したが、その後、原審記録を読み、唖然とした記憶がある。もちろん、直ちに原判決を変更し、一部認容判決（損害額が全部は認められなかったため）を言い渡した。

　事実認定は的確に行われているものの、その認定事実からは契約の成立を認めることは難しい事案であったにもかかわらず契約の成立を認めてしまった原判決もあった。

　法律判断については、原告が時効により土地の所有権を取得したと主張し、被告が欠席したにもかかわらず、登記名義が原告及び被告らであったことから、自主占有ではないと誤って判断した判決もあった。全く独自の解釈であり（もちろん、根拠となる学説も皆無である。）、直ちに取り消して認容判決を言い渡したが、控訴人に対して申し訳ないという気持ちであった。

(2)　控訴審における和解

　控訴審では、基本的には大多数の事件で和解勧告をしている。私が東京高等裁判所で陪席裁判官を務めていたときは、やや曖昧な記憶であるが、担当した主任事件の和解成立率は、5割から6割程度であったかと思う。

　控訴審での和解の具体的な事例は、前記のとおりであるが、最も印象的な事例は次のとおりであった。すなわち、原審（東京地方裁判所の合議体）は、原告（会社）の被告（会社）に対する損害賠償請求を認容し、10億円の損害賠償金の支払を命じていた。私は控訴審で主任裁判官を務め、事件記録を精査した結果、原判決を取り消して被控訴人（原告）の請求を全部棄却すべきであるとの結論に至った。合議の結果も全裁判官一致で

同様の結論となった。第1回口頭弁論期日で裁判長は口頭弁論を終結して和解勧告をし、引き続いて、私が受命裁判官として和解を担当した。被控訴人の弁護士らに対し、合議体としては、原判決を取り消して被控訴人の請求を全部棄却する結論に達した旨を簡潔な理由を付して申し上げたところ、「やはり、そうですか。我々に勝ち目はないと思い、クライアントにもそう説明していたのです。だから、勝訴判決は意外でした。和解による解決には前向きです。」と返答した。控訴人の弁護士らにも同様の趣旨を申し上げたところ、「当然、勝訴だと思っていましたから、原判決は意外でした。しかし、被控訴人との間には幾つもの法的紛争があり、それらを全部解決することができるのなら、それなりの和解金を支払って和解するつもりです。」などと返答した。和解協議は順調に進み、次回又は次々回の和解期日で和解が成立したと記憶している。

(3)　控訴審判決

　和解が成立しなかった事件については、控訴審判決を言い渡す。私の経験では、約8割の事件で原判決を維持する旨の判決を言い渡していたと思う。なお、控訴審については独特のルールがあり、控訴審を担当する裁判官や弁護士にとっては、民事控訴審の理論と実務について詳説する井上繁規著『民事控訴審の判決と審理』（第一法規・2009）（現在は、『民事控訴審の判決と審理〔第3版〕』2017）が「座右の書」であり、私も手元に備えて大いに利用していた。

コラム　⑥　司法制度改革審議会について

　「委員の皆様方には、限られた期間のうちに極めて多くの調査審議等の作業をお願いすることになりますが、この審議会の重要性をご理解いただき、21世紀の我が国の司法制度が国民の期待に応え、その役割・機能を十分果たし得るものとなりますよう、ご尽力を切にお願いいたしまして、私の挨拶といたします。」

　小渕恵三・内閣総理大臣（当時）は、こう述べられて、内閣総理大臣官邸で開催された「司法制度改革審議会」の第1回会議におけるご挨拶を終えられました。いまから2年前の平成11年7月27日のことです。とても暑い日でした。そのちょうど前日の7月26日付で民事局参事官から大臣官房司法法制部参事官（当時は司法法制調査部参事官）に異動した私も、この会議にオブザーバーとして出席し、小渕総理のご挨拶を拝聴する機会に恵まれました。

　いま振り返ると、確かに、小渕総理の述べられたとおり「限られた期間」でしたし、「極めて多くの調査審議等の作業」でした。司法制度改革審議会設置法は、その施行日（平成11年7月27日）から起算して2年を経過した日である平成13年7月27日にその効力を失うと定めていましたから、その審議期間は当初から2年間に限定されていました。また、調査審議する内容も、21世紀の我が国社会に

　おいて司法が果たすべき役割を明らかにし、国民がより利用しやすい司法制度の実現、国民の司法制度への関与、法曹の在り方とその機能の充実強化その他の司法制度の改革と基盤の整備に関し必要な基本的施策について調査審議をするものとされていましたから、極めて多くの調査審議等の作業になることも当然でした。第2回会議からは、原則として、港区虎ノ門1丁目の虎ノ門10森ビル5階の審議室で開催されましたが、以後2年間にわたり、60回を超える会議が開催され、総審議時間は250時間を超えました。文字通り集中的で精力的な審議調査だったのです。その上、大阪、福岡、札幌、東京で公聴会が開催されました。さらに、島根県浜田市及び山形県酒田市を含む全国的な実情視察も実施されましたし、アメリカ、イギリス、ドイツ、フランスにおいても実情調査が実施されました。

　司法制度改革審議会は13人の委員で組織されていました。会長は佐藤幸治・京都大学名誉教授＝近畿大学法学部教授、会長代理は、竹下守夫・一橋大学名誉教授＝駿河台大学長でした。そのほかの委員は、石井宏治・株式会社石井鐵工所代表取締役社長、井上正仁・東京大学法学部教授、北村敬子・中央大学商学部長、曽野綾子・作家、高木剛・日本労働組合総連合会副会長、鳥居泰彦・慶應義塾大学学事顧問（前慶應義塾長）、中坊公平・弁護士、藤田耕三・弁護士（元広島高等裁判所長官）、水原敏博・弁護士（元名古屋高等検察庁検事長）、山本勝・東京電力株式会社取締役副社長、吉岡初子・主婦連合会事務局長でした。

　司法制度改革審議会は、平成11年12月に「司法制度改革に向けて―論点整理―」を決定して公表した上で、各論点を大括りにまとめたテーマごとに審議を進め、平成12年11月20日には、それまでの審議結果を「中間報告」として取りまとめて公表しました。国民に対して忌憚のない意見、要望等を求めるとの趣旨でした。その後は、国民から寄せられた多数の意見を踏まえつつ、さらに各課題について掘り下げた審議を進め、本年（平成13年）6月12日、その最終意見を「司法制度改革審議会意見書」として取りまとめ、これを佐藤会長が小泉純一郎・内閣総理大臣に手渡し、内閣に提出しました。

　司法制度改革審議会意見書は、118頁に及ぶ大部の書面ですから、その詳細を紹介することはできませんが（ぜひ意見書自体を読んでみてください。）、司法制度の機能を充実強化することを喫緊の課題とした上で、次の3点を基本的な方針としています。

　第1は、「国民の期待に応える司法制度」とするため、司法制度をより利用しやすく、分かりやすく、頼りがいのあるものとすることです。民事司法制度の改革として、民事裁判の充実・迅速化、専門的知見を要する事件等への対応強化、家庭裁判所・簡易裁判所の機能の充実、民事執行制度の強化、裁判所へのアクセスの拡充、ＡＤＲの拡充・活性化、司法の行政に対するチェック機能の強化等が指摘されていますし、刑事司法制度の改革として、刑事裁判の充実・迅速化、被疑者・被告人の公的弁護制度の整備、新た

な時代における捜査・公判手続の在り方、犯罪者の改善更生、被害者等の保護等が指摘されています。さらに、国際化への対応として、民事司法・刑事司法の国際化等にも触れられています。

　第2は、「司法制度を支える法曹の在り方」を改革し、質量とも豊かなプロフェッションとしての法曹を確保することです。法曹人口の大幅な増加を図ることが喫緊の課題であるとした上で、司法試験合格者を平成14年から1200人程度、平成16年1500人程度とすることを目指すべきであると提案しています（法科大学院を含む新たな法曹養成制度の整備の状況等を見定めながら、平成22年ころには3000人とすることを目指すべきとも指摘されています。）。また、司法関係職員の増加についても触れ、司法を支える人的基盤については、その飛躍的な増大を図っていくことが必要不可欠であるとしています。さらに、法曹養成制度の改革として、プロフェッショナル・スクールとして高度な法学教育を行う法科大学院を設け、司法試験も、法科大学院の教育内容を踏まえた新たなものに切り替えることなどを提案しています。他方で、弁護士制度、検察官制度、裁判官制度についても、それぞれの改革案を提示していますし、隣接法律専門職種の活用も提案されています。

　第3は、「国民的基盤の確立」のため、国民が訴訟手続に参加する制度の導入等により司法に対する国民の信頼を高めることです。訴訟手続への新たな参加制度として、刑事訴訟事件の一部を対象に、広く一般の国民が、裁判官と共

に、責任を分担しつつ協働し、裁判内容の決定に主体的、実質的に関与することができる新たな制度（参審制度）を導入すべきであるとしています。

　6月12日に司法制度改革審議会の意見書が提出されたため、政府は、直ちに「司法制度改革審議会意見に関する対処方針」（6月15日）を閣議決定しました。この対処方針は、まず、「司法制度改革は、行政改革を始めとする社会経済構造の改革を進めていく上で不可欠な重要課題であり、政府の責任は重大である。このため、司法制度改革審議会意見（平成13年6月12日）を最大限に尊重して司法制度改革の実現に取り組むこととし、速やかにこれを推進するための所要の作業に着手する。」とし、続いて、「司法制度改革審議会意見を踏まえ、司法制度改革の基本理念及び推進体制等について定める司法制度改革推進のための法律案を、できる限り速やかに国会に提出して、その成立を期すとともに、司法制度改革を実現するための方策の具体化につき鋭意検討を進め、3年以内を目途に関連法案の成立を目指すなど所要の措置を講ずることとする。」としています。

　その後、この閣議決定を受けて、7月1日付けで内閣官房に「司法制度改革推進準備室」が設置されました。この準備室は、現在、司法制度改革推進法（仮称）の立案を始め、速やかに司法制度改革に着手するための所要の作業を行っています。この司法制度改革推進法は、司法制度改革の基本理念及び推進体制等について定めるものになり、そ

の法律の成立・施行により、司法制度改革の本格的な推進体制が整うものと期待されます。

　今般の改革は、国家の最も重要で基本的な制度である司法制度を半世紀ぶりに抜本的に見直すという大改革です。その実現には様々な困難が伴うことと思いますが、是非ともこれを成し遂げて、21世紀の我が国社会において、司法制度が国民の期待と信頼に応え、その役割と機能を十分に果たすことができるようにしなければならないと思います。

〔補足〕本稿は、「司法制度改革審議会について」民事月報56巻7号（法務省民事局・2001）の再録です。当時、司法制度改革審議会が審議を終えて、その最終意見を「司法制度改革審議会意見書」として取りまとめて内閣に提出したため、私も司法制度改革審議会に対する対応を終えて、法務省大臣官房司法法制部参事官から法務省民事局民事第二課長に異動した直後でして、司法制度改革審議会についての原稿を執筆してほしい旨の依頼があって書いたものと記憶しています。

〈資料編〉

第1　土地家屋調査士法の改正

〔登記研究 704 号（テイハン・2006）61 頁の再録〕

一　はじめに

　平成 13 年 7 月に法務省民事局民事第二課長になり、早々に手にした本のまえがきの、次の文章を読み、思わず顔がほころんだ。

　「主に信州の土地を測る人びとによって始められた『土地家屋調査士法』の制定運動が全国的なものとなり、善意で有能な政治家の援助と、先覚的な役人の示唆と、当事者たちの根気強い努力の結果、一つの法律に結晶させた経緯とさまざまな苦難は、民主主義の見事な開花と結実であろう。」

　その本とは、藤原政弥氏の著された『日本を測る人びと―土地家屋調査士法の誕生―』（武蔵野書房・1991 年）である。そして、なぜ顔がほころんだのかといえば、信州で生まれ育ち、信州に人一倍強い愛着を感じている私が、進取の気象に富む郷里の先輩たちの面目躍如ぶりを知ったからである。

　むろん、土地家屋調査士制度について、その概要は知っていたが、土地家屋調査士制度を所管する課の課長としての知識としては不十分であったし、とりわけ、翌平成 14 年の通常国会には、土地家屋調査士法の大幅な改正法律案を提出することが予定されていたことからも、早急に土地家屋調査士制度について詳細に知る必要があった。そこで、民事第二課にある土地家屋調査士に関する本や論文を手当たりしだいに（といっても、文

献の数はさほど多いわけではないが）読んだのである。

　郷里の先輩たちが始めた運動が見事に結実した「土地家屋調査士法」の平成14年改正を担当することができ、本当に幸運であった。編集部からの依頼は、この平成14年改正を中心にした解説であるが、幸い、この平成14年改正後の土地家屋調査士法の逐条解説を含む土地家屋調査士制度に関する詳細かつ周到な解説書として、大阪土地家屋調査士会制度研究会編『土地家屋調査士の業務と制度』（三省堂・2004年）が公刊されている（注1）ので、本稿と併せて、この解説書をご覧いただければ幸いである。以下では、まず、平成14年改正に至るまでの土地家屋調査士制度の歴史を概観した（二）上で、平成14年改正の解説をし（三）、さらに、その後の重要な改正である平成17年改正についても触れる（四）こととしたい（注2）。

二　土地家屋調査士制度の歴史（注3）

①　土地家屋調査士制度の創設

　土地家屋調査士制度は、昭和25年（1950年）7月31日に創設された。すなわち、同日、土地家屋調査士制度の創設を内容とする「土地家屋調査士法」が成立し、昭和25年法律第228号として公布され、直ちに施行されたのである。

　「この法律は、不動産登記の基礎である土地台帳及び家屋台帳の登録事項の正確さを確保するため、土地家屋調査士の制度を定め、その業務の適正を図ることを目的とする」（1条）と規定されていたことからも明らかなとおり、当時は、不動産の表

示に関する登記の制度は、まだ設けられておらず、その前身である土地台帳及び家屋台帳の制度のもとに土地家屋調査士制度が設けられた。したがって、その業務についても、土地家屋調査士は、「他人の依頼を受けて、土地台帳又は家屋台帳の登録につき必要な土地又は家屋に関する調査、測量又は申告手続をすることを業とする」（2条）と定められていた。

　土地家屋調査士となる資格を有する者は、①「学校教育法（昭和22年法律第26号）による高等学校又は旧中等学校令（昭和18年勅令第36号）による実業学校において測量に関する課目を修め、その学校を卒業し、測量に関し2年以上の実務の経験を有する者」、②「測量士又は測量士補となる資格を有する者」及び③「土地家屋調査士試験に合格した者」と定められていた（3条）。この「土地家屋調査士試験」は、土地台帳及び家屋台帳の登録に関して必要な知識及び技能について行うものであって、法務総裁は、毎年1回以上、この試験を行わなければならないと定められていた（5条1項及び2項）。なお、その後、建築士法の一部を改正する法律（昭和26年法律第195号）により、この規定は改正され、土地家屋調査士となる資格を有する者として、④「建築士となる資格を有する者」が追加された。

　この土地家屋調査士法の制定前においても、税務署が委嘱した調査員らが同様の業務を行っており、その調査員らの資格制度化の運動の成果として土地家屋調査士制度が創設されたとの事情があった。そこで、「この法律施行の際現に土地台帳又は家屋台帳の登録につき必要な土地又は家屋に関する調査、測量

又は申告手続をすることを業としていた者」は、昭和27年9月
30日までは、土地家屋調査士とみなすと定められていた（附則
2項）。また、昭和26年3月31日までに①「土地又は家屋に関
する調査、測量又は申告手続に関し7年以上の実務の経験を有
する者」又は②前記の「第3条第1号に規定する学校に準ずる
学校において測量に関する課目を修め、その学校を卒業し、測
量に関し3年以上の実務の経験を有する者」に該当する者は、
同年6月30日までに法務局又は地方法務局の長の選考を受け、
土地家屋調査士となるにふさわしい知識及び技能を有すると認
められたときは、土地家屋調査士となる資格を有すると定めら
れていた（附則3項）。

　土地家屋調査士会の設立は任意であり、土地家屋調査士は、
法務局又は地方法務局の管轄区域ごとに、会則を定めて、土地
家屋調査士会を設けることができると定められていた（14条1
項）。土地家屋調査士が土地家屋調査士会に入会することも任
意であり、土地家屋調査士会の区域内に事務所を有する土地家
屋調査士は、その土地家屋調査士会の会員となることができる
と定められていた（16条）。また、土地家屋調査士会連合会の
設立も任意であり、土地家屋調査士会は、共同して特定の事項
を行うため、会則を定めて、全国を単位とする土地家屋調査士
会連合会を設けることができると定められていた（17条）

②　土地家屋調査士法の主要な改正

㈠　昭和31年（1956年）改正

　その後、昭和31年（1956年）には、「土地家屋調査士法の一

部を改正する法律」（昭和 31 年法律第 19 号）が成立した。

　この昭和 31 年改正の主要な改正事項は、土地家屋調査士の品位の保持及び業務の改善進歩を一層徹底するため、土地家屋調査士会及び土地家屋調査士会連合会について、いわゆる強制設立制度を導入し（14 条 1 項は、土地家屋調査士は、その事務所の所在地を管轄する法務局又は地方法務局の管轄区域ごとに、会則を定めて、1 箇の土地家屋調査士会を設立しなければならないと改められ、17 条も、土地家屋調査士会は、会則を定めて、全国を通じて 1 箇の土地家屋調査士会連合会を設立しなければならないと改められた。）、また、土地家屋調査士について、いわゆる強制入会制度を導入した（19 条 1 項は、土地家屋調査士会に入会している土地家屋調査士でない者は、土地又は家屋に関する調査、測量又はこれらの結果を必要とする申告手続をすることを業とすることができないと改められた。）ことである。

　㈡　昭和 35 年（1960 年）改正

　昭和 35 年（1960 年）には、「不動産登記法の一部を改正する等の法律」（昭和 35 年法律第 14 号）が成立した。この法律は、登記簿と台帳の一元化を図り、不動産の「表示に関する登記」の制度を創設するものであった。すなわち、土地台帳及び家屋台帳の制度が廃止され、その台帳の内容を登記簿の表題部が引き継ぎ、不動産の「権利に関する登記」とは別個独立の不動産の「表示に関する登記」の制度となったのである。

　そこで、この法律の附則において、土地家屋調査士法の一部改正が行われた。

　まず、その目的規定は、「この法律は、登記簿における不動産の表示の正確さを確保するため、土地家屋調査士の制度を定め、その業務の適正を図ることを目的とする」（1条）と改められ、業務規定も、土地家屋調査士は、「他人の依頼を受けて、不動産の表示に関する登記につき必要な土地又は家屋に関する調査、測量又は申請手続をすることを業とする」（2条）と改められた。

　また、土地家屋調査士となる資格は、土地家屋調査士試験に合格した者にのみ与えられることとなった（3条）。ただし、測量士若しくは測量士補又は建築士となる資格を有する者に対しては、土地及び家屋の調査及び測量についての試験を免除することとされた（5条2項ただし書）。

　(三)　昭和42年（1967年）改正

　次いで、昭和42年（1967年）には、「司法書士法及び土地家屋調査士法の一部を改正する法律」（昭和42年法律第66号）が成立した。

　この昭和42年改正の主要な改正事項は、まず、土地家屋調査士及び日本土地家屋調査士会連合会（従前の「土地家屋調査士会連合会」を「日本土地家屋調査士会連合会」と改称した。）が法人格を有していないため、その活動等に支障が生じていた実情にかんがみ、土地家屋調査士会及び日本土地家屋調査士会連合会に対して法人格を付与したことである（14条3項は、土地家屋調査士会は、法人とすると定め、この規定が日本土地家屋調査士会連合会について準用された。）。併せて、土地家屋調査士会の役員に関する規定も新設された（第15条の4。この規

定が日本土地家屋調査士会連合会について準用された。)。

　㈣　昭和54年（1979年）改正

　さらに、昭和54年（1979年）には、「土地家屋調査士法の一部を改正する法律」（昭和54年法律第66号）が成立した。

　この昭和54年改正の主要な改正事項は、次のとおりである。

　まず、目的規定を改正した上で、土地家屋調査士の職責に関する規定を新設した。すなわち、目的規定を、「この法律は、土地家屋調査士の制度を定め、その業務の適正を図ることにより、不動産の表示に関する登記手続の円滑な実施に資し、もって不動産に係る国民の権利の明確化に寄与することを目的とする」（1条）と改め、土地家屋調査士の職責規定として、「土地家屋調査士……は、常に品位を保持し、業務に関する法令及び実務に精通して、公正かつ誠実にその業務を行わなければならない」（1条の2）と定めた。また、土地家屋調査士の業務に「審査請求の手続をすること」が加えられた（2条）。

　また、法務大臣による資格認定制度を導入し、法務局又は地方法務局において不動産の表示に関する登記の事務に従事した期間が通算して10年以上になる者であって、法務大臣が土地家屋調査士の業務を行うのに必要な知識及び技能を有すると認めたものに土地家屋調査士となる資格が与えられる旨が定められた（3条2号）。

　他方で、土地家屋調査士の品位の保持及び土地家屋調査士会の自主性の強化を図るため、土地家屋調査士会の注意勧告の制度（16条の2）及び建議等の制度（17条の3）が新設された。

　㈤　昭和60年（1985年）改正

　昭和60年（1985年）には、「司法書士法及び土地家屋調査士法の一部を改正する法律」（昭和60年法律第86号）が成立した。

　この昭和60年改正の主要な改正事項は、次のとおりである。

　まず、土地家屋調査士の制度が設けられて以来、法務局又は地方法務局の長が土地家屋調査士の登録事務を行っていたが、土地家屋調査士の自主性の強化を図るため、この登録事務を日本土地家屋調査士会連合会に移譲した。すなわち、土地家屋調査士となる資格を有する者が、土地家屋調査士となるには、日本土地家屋調査士会連合会に備える土地家屋調査士名簿に、氏名、生年月日、事務所の所在地、所属する土地家屋調査士会その他法務省令で定める事項の登録を受けなければならず、土地家屋調査士名簿の登録は、日本土地家屋調査士会連合会が行う（6条）と定めた上で、この登録に関する手続規定等を整備した。

　また、官公署等が公共の利益となる事業に関して行う不動産の登記の嘱託等の実情にかんがみ、その嘱託等の登記の手続の適正化を図るため、公共嘱託登記土地家屋調査士協会（社団法人）の設立を認めた。すなわち、土地家屋調査士は、その専門的能力を結合して官庁、官公署等による不動産の表示に関する登記に必要な調査若しくは測量又はその登記の嘱託若しくは申請の適正かつ迅速な実施に寄与することを目的として、公共嘱託登記土地家屋調査士協会と称する民法34条の規定による社団法人を設立することができると定めた（17条の6第1項）。

三　平成 14 年（2002 年）改正

①　改正の趣旨

　平成 14 年（2002 年）4 月 24 日、「司法書士法及び土地家屋調査士法の一部を改正する法律」（平成 14 年法律第 33 号）が成立し、同年 5 月 7 日に公布された。

　この法律のうちの土地家屋調査士法の改正部分（以下「平成 14 年改正」という。）は、規制改革における資格制度の見直しの観点から、事務所の法人化、資格試験制度及び懲戒手続の整備、資格者団体の会則記載事項の見直し等を行うものであり、その目的は、国民生活の利便性の一層の向上を図ることにあった（注4）。

　なお、改正事項が多岐にわたり、全体の条文数も大幅に増加したため、新たに 11 の章を設けた上で、全条文を 1 条から 77 条までに再編し、その体裁も一新された。

②　改正の経緯

（一）　背景事情～規制改革推進 3 か年計画

　政府は、平成 13 年 3 月、規制改革推進 3 か年計画を閣議決定した。この 3 か年計画は、近年、我が国が直面する経済のグローバル化、少子高齢化、情報通信技術革命（IT革命）、環境問題の深刻化等の構造的な環境変化に対応して、経済社会の構造改革を進めることにより、①経済活性化による持続的な経済成長の達成、②透明化が高く公正で信頼できる経済社会の実

現、③多様な選択肢の確保された国民生活の実現、④国際的に
開かれた経済社会の実現等を図る観点から、行政の各般の分野
について計画的に規制改革の積極的かつ抜本的な推進を図るこ
とを目的とするものであった。

　この３か年計画は、資格制度についても大幅な見直しを求め
るものであって、公正有効な競争を確保し、その競争の活性化
を通じて、サービス内容の向上、価格の低廉化、国民生活の利
便向上等を図るといった大きな方針に基づいて、各府省が講ず
べき措置を定めていた。土地家屋調査士に関して法務省が講ず
べき措置は多岐にわたるが、そのうち、事務所の法人化、資格
試験制度及び懲戒手続の整備、資格者団体の会則記載事項の見
直し等については、土地家屋調査士法を改正する必要があっ
た。

　㈡　法律案の提出

　規制改革推進３か年計画を受け、法務省民事局民事第二課
は、日本土地家屋調査士会連合会との度重なる協議や内部にお
ける検討等を経て、「司法書士法及び土地家屋調査士法の一部
を改正する法律案」（土地家屋調査士法の改正に係る部分）を作
成し、この法律案は、平成14年３月８日、閣議決定を経て国会
に提出された。

　㈢　国会における審議

　この法律案は、平成14年３月28日に衆議院法務委員会に付
託された後、同年４月３日、森山眞弓法務大臣による趣旨説明
が行われて審議に入った。同委員会は、この法律案について、
参考人として、西本孔昭日本土地家屋調査士会連合会会長等か

ら意見を聴取するなどして審議をし、同月 9 日に全会一致で可
決し、これを受けて、衆議院本会議も、同月 11 日に全会一致で
可決した。参議院でも、同月 15 日に法務委員会に付託され、同
月 16 日に森山眞弓法務大臣による趣旨説明が行われて審議に
入った。同委員会も、参考人として、前記の西本会長等から意
見を聴取するなどして審議をし、同月 23 日に全会一致で可決
した。これを受けて、参議院本会議も、同月 24 日に全会一致で
可決し、法律として成立した。その後、この法律は、同年 5 月
7 日、平成 14 年法律第 33 号として公布されている。

③　主要な改正事項

（一）　事務所の法人化

　土地家屋調査士法人の設立を認めたが、その目的は、あくま
で国民の利便性の向上に資することにあり、土地家屋調査士が
共同して法人化を図ることにより、その経験・知見等を共有し
て利用者に質の高い多様なサービスを安定的に供給することが
期待される。規制改革推進 3 か年計画も、事務所の法人化を利
用者の多様なニーズに対応する観点から求めていたのである。

　その設立については、準則主義を採用した。すなわち、土地
家屋調査士法人は、その社員となろうとする 2 人以上の土地家
屋調査士が、共同して定款を定め（31 条 1 項）、その主たる事務
所の所在地において設立の登記をすることによって成立する
（32 条）。また、設立時に 2 人以上の土地家屋調査士が社員とな
ることが求められている上、社員が 1 人になり、その日から引
き続き 6 月間その社員が 2 人以上にならなかった場合に解散す

る旨の規定（39条2項）もあり、いわゆる1人法人は認められていない。むろん、土地家屋調査法人の社員は、土地家屋調査士に限られる（28条1項）。

また、土地家屋調査士法人は、主たる事務所のほか、従たる事務所を設けることができるが、そのいずれの事務所にも、その所在地の土地家屋調査士会の会員である土地家屋調査士を常駐させなければならならい（36条）。

なお、日本土地家屋調査士会連合会によると、平成18年9月11日現在で、62の土地家屋調査士法人が設立されているという（ちなみに、土地家屋調査士の総数は、同年4月1日現在で、1万8320人であるという。）。

　㈢　資格試験制度の整備

また、規制改革推進3か年計画は、土地家屋調査士試験について、再受験の場合にすでに合格した段階の試験を免除することや再受験における既合格科目の免除制度の推進などによる資格の取得の容易化の検討を求めていたため、その検討の結果に基づいて、土地家屋調査士試験制度の整備を行った。

土地家屋調査士試験の筆記試験は、不動産の表示に関する登記について必要な事項、すなわち、①「土地及び家屋の調査及び測量」、②「申請手続及び審査請求の手続」に関する知識及び技能について行われるが、その筆記試験の合格者に対しては、その申請により、①に関する試験については、技術的な事項についての試験であるから、その後に行われる①に関する筆記試験がすべて免除され、また、②に関する試験についても、次回の土地家屋調査士試験に限り、②に関する筆記試験が免除され

る（6条5項2号）。

　また、同様の趣旨から、筆記試験に合格しなかった者についても、その申請により、①に関する試験について、筆記試験の合格者と同等以上の知識及び技能を有するものと法務大臣が認定したときは、その後に行われる①に関する筆記試験がすべて免除される（同項3号）。

　㈢　懲戒手続の整備

　規制改革推進3か年計画は、土地家屋調査士について、国民一般からの懲戒処分の請求を認めることを検討事項とし、また、懲戒処分の内容を公表することを措置事項としていた。そこで、何人からも懲戒の申出をすることができることとして、国民一般からの懲戒申出制度を設けた（44条1項）ほか、懲戒処分を官報で公告する制度を設ける（46条）等の改正をした。また、土地家屋調査士法人の制度を設けたことに伴い、土地家屋調査士法人に対する懲戒制度を新設した（43条）。

　㈣　会則記載事項の見直し等

　規則改革推進3か年計画は、資格者間の競争を活性化する観点から、土地家屋調査士会の会則の記載事項から土地家屋調査士の報酬に関する規定を削除するとしていたので、その旨の改正をした。また、同計画において、土地家屋調査士会の業務及び財務等に関する情報を公開するよう要請することとされていたため、この趣旨から、会則の記載事項に土地家屋調査士会及び会員に関する情報の公開に関する規定を追加した（48条9号）。さらに、土地家屋調査士の研修に関する規定及び会員の業務に関する紛議の調停に関する規定も、会則の記載事項に追

加した（48条7号及び8号）。これに関連して、日本土地家屋調査士会連合会の会則の記載事項にも、土地家屋調査士の研修に関する規定及び日本土地家屋調査士会連合会に関する情報の公開に関する規定を追加した（58条）。なお、会則については、併せて、土地家屋調査士は、その所属する土地家屋調査士会の会則のみならず、日本土地家屋調査士会連合会の会則をも守らなければならない（24条）との改定も行われた。

　㈤　研修等の努力義務

　複雑化・多様化する利用者のニーズにこたえるため、土地家屋調査士について一層の資質向上を図る必要があり、前記のとおり、会則の記載事項に研修に関する規定を追加した。これに対応し、土地家屋調査士は、その所属する土地家屋調査士会及び日本土地家屋調査士会連合会が実施する研修を受け、その資質の向上を図るように努めなければならないとの規定（25条1項）が新たに設けられた。また、土地については、境界線の設置等に関して地方の慣習等に違いがあり、土地家屋調査士は、その業務を行うにあたって、この慣習に習熟することが必要である。そこで、土地家屋調査士は、その業務を行う地域における土地の境界を明らかにするための方法に関する慣習その他の土地家屋調査士の業務についての知識を深めるよう努めなければならないとの規定（同条2項）も新たに設けられた。なお、この規定については、事務所の法人化を認めたことに伴い、土地家屋調査士の活動範囲が広がり、比較的知識や経験の浅い地域において業務を行うことが増えるものと予想されることも、その背景事情にあった。

(六)　紛議調停制度の新設

　土地家屋調査士会は、土地家屋調査士の業務について専門的知識を有し、その指導及び連絡に関する事務を行う立場にある。この立場にかんがみ、土地家屋調査士の業務に関する紛議（トラブル）につき、その土地家屋調査士、当事者等の請求により土地家屋調査士会が調停を行う制度が新たに設けられた（54条）。

四　平成 17 年（2005 年）改正

①　改正の概要

　平成 17 年（2005 年）4 月 6 日に「不動産登記法等の一部を改正する法律」（平成 17 年法律第 29 号）が成立し、同月 13 日に公布された。この法律は、不動産登記法について、筆界特定制度を創設する等の改正を行い、併せて、土地家屋調査士法についても、土地家屋調査士の業務に、筆界特定手続の代理及び民間紛争解決手続の代理の業務を加える等の改正を行うものであった（注 5）。

②　改正の内容

(一)　筆界特定手続代理関係業務

　筆界特定制度とは、土地の筆界の迅速かつ適正な特定を図り、筆界をめぐる紛争の解決に資するため、登記官が、土地の所有権登記名義人等の申請により、筆界調査委員の意見を踏まえて土地の筆界を特定する制度である（この制度については、

本誌において、清水響氏の執筆される解説が予定されているため、詳しくは、その別稿を参照いただければ幸いである。）（**注6**）。

　この筆界特定制度が創設されたことに伴い、土地家屋調査士が土地境界について豊富な専門的な知識及び経験を有することにかんがみ、その業務に、筆界特定手続代理関係業務（筆界特定の手続についての代理、筆界特定の手続について法務局又は地方法務局に提出し、又は提供する書類又は電磁的記録の作成、これらの事務についての相談の業務）が加わった（3条1項4号から6号まで）（**注7**）。

　(二)　民間紛争解決手続代理関係業務

　司法制度改革推進本部（本部長＝小泉純一郎内閣総理大臣）は、平成16年11月26日、「今後の司法制度改革の推進について」と題する決定をしたが、その決定において、裁判外紛争解決手続の利用を促進していくためには、手続実施者のみならず、代理人についても、利用者が適切な隣接法律専門職種を選択できるよう制度整備を図っていく必要があるとした上で、土地家屋調査士について、「信頼性の高い能力担保措置を講じた上で、土地の境界が明らかでないことを原因とする民事に関する紛争（弁護士が同一の依頼者から裁判外紛争解決手続の代理を受任しているものに限る。）に係る裁判外紛争解決手続（法務大臣が指定する団体が行うものに限る。）について代理することを土地家屋調査士の業務に加える。」との方向性に沿って、裁判外紛争解決手続における当事者の代理人としての活用を図ることとし、できるだけ早期の具体化に向け、今後、関係法案の

提出を含め、所要の措置を講じていく必要があるとしていた。

　そこで、土地家屋調査士の業務に、民間紛争解決手続代理関係業務を加えた。この業務は、土地の筆界が現地において明らかでないことを原因とする民事に関する紛争に係る民間紛争解決手続（民間事業者が、紛争の当事者が和解をすることができる民事上の紛争について、紛争の当事者双方からの依頼を受け、当該紛争の当事者との間の契約に基づき、和解の仲介を行う裁判外紛争解決手続（訴訟手続によらずに民事上の紛争の解決をしようとする紛争の当事者のため、公正な第三者が関与して、その解決を図る手続をいう。）をいう。）であって当該紛争の解決の業務を公正かつ適確に行うことができると認められる団体として法務大臣が指定するものが行うものについての代理及びその事務についての相談の業務である（3条1項7号及び8号）。

　ただし、この民間紛争解決手続代理関係業務を行う前提として、土地家屋調査士は、法務省令で定める法人が法務大臣の指定を受けて実施する研修の課程を修了した上で、法務大臣から民間紛争解決手続代理関係業務を行うのに必要な能力を有するとの認定を受ける必要があるし、弁護士との共同受任が条件となっている（3条2項）。

　㈢　付随的改正事項

　以上のとおり、土地家屋調査士の業務に新たな業務が加わったことに伴い、土地家屋調査士及び土地家屋調査士法人の業務の制限を定める規定（22条の2及び36条の3）及び秘密保持の義務を定める規定（24条の2）が新たに置かれたほか、依頼

に応ずる義務に関する規定（22条）が改正された。また、上記のとおり、民間紛争解決手続代理関係業務については、法務大臣の認定を受けている土地家屋調査士と受けていない土地家屋調査士があり得ることから、土地家屋調査士法人に関する規定の整備が行われた（29条等）。

五　おわりに

「土地家屋調査士には文科系・理科系の双方の知識・技能が必要であり、その学歴・職歴等はバラエティに富んでいるようである。そのためか、物事を客観的に見て判断する能力に優れていながら、人間味の豊かな、魅力的な方々が多いと感じている。そういえば、ゆう子も、女子大を出て会社勤務をした経験をもち、持ち前の明るい顔を見せつつ、何事にも積極果敢に取り組む魅力的な女性であり、殺人事件についても、その動機に腑に落ちないものを感じ、その刑事裁判の法廷を傍聴するなど、ひたむきに真相の解明に乗り出していく。」

　ゆう子とは、小杉健治氏の推理小説『境界殺人』（勁文社・2000年）の女性主人公であり、その職業は土地家屋調査士である（注8）。上記の文章は、その文庫版が2003年に講談社から発刊されるに当たり、私が書いた「解説」（文庫本の末尾に掲載）の一節である。この解説の執筆依頼があったとき、一般の人々に広く知られているとはいい難い土地家屋調査士あるいはその制度を広く国民のみなさんに知ってほしいとの思いで執筆を引き受け、ややその思いが先走って、小説の紹介よりも土地家屋

調査士制度の解説の方がはるかに詳しくなってしまった。その思いはいまも変わらない。

　土地家屋調査士制度がますます発展し、土地家屋調査士の方々が国民の期待に応えてますます活躍されることを心から期待している。

（注1）　民事第二課に在職中、小林昭彦＝河合芳光著『注釈　司法書士法』（テイハン・2003年）に引き続いて、『注釈　土地家屋調査士法』の刊行もしたいと考えていたが、残念ながら、私が東京高等裁判所判事に異動してしまったため、実現には至らなかった。この『土地家屋調査士の業務と制度』は、素晴らしい出来栄えの解説書であり、ぜひ、ご覧いただきたい。

（注2）　土地家屋調査士制度の歴史については、前掲『日本を測る人びと』のほか、前掲『土地家屋調査士の業務と制度』所収の新谷正夫「土地家屋調査士制度の誕生」（315頁）及び香川保一「土地家屋調査士制度の生成発展」（320頁）を参照されたい。また、前掲『土地家屋調査士の業務と制度』の付録のCD−ROMに収められている資料（土地家屋調査士法の主な改正点、改正法律及び国会審議録）は、土地家屋調査士制度やその歴史に関する極めて有用な資料である。

（注3）　松岡直武「土地家屋調査士の平成時代」（細川清編『進展する民事立法と民事法務行政』（テイハン・2005年）680頁）は、日本土地家屋調査士会連合会会長である松岡氏が、「平成の土地家屋調査士の歩み」を報告されたものであり、とりわけ、平成14年改正と平成17年改正に関する率直な記述は貴重であり、参照していただければ幸いである。また、河合芳光「司法書士法・土地家屋調査士法の改正」

　（前記『進展する民事立法と民事法務行政』333 頁）も、平成 14 年改
　正とその後の改正（本稿では触れていない改正も含まれている。）を
　中心とする土地家屋調査士法についての手際のいい解説であり、参
　考になる。なお、最新の土地家屋調査士法を含む土地家屋調査士制
　度に関するさまざまな情報は、日本土地家屋調査士会連合会のウェ
　ブサイト（https://www.chosashi.or.jp/）で得ることができる。

（注4）　　平成 14 年改正については、法律の成立を受けて、小林昭彦＝河
　　合芳光編著『一問一答　新　司法書士法・土地家屋調査士法—平成
　　14 年改正法の要点—』（テイハン・2002 年）を公刊している。

（注5）　　この法律の解説として、清水響「不動産登記法等の一部改正」
　　ジュリスト 1299 号 107 頁及び清水響編著『一問一答　不動産登記法
　　等一部改正法［筆界特定］（商事法務・2006 年）を参照されたい。

（注6）　　筆界特定制度については、そのほか、笹井朋昭「筆界特定制度
　　の創設」（**（注1）**掲記の『進展する民事立法と民事法務行政』522
　　頁）、「不動産セミナー（第六回）平成 16 年・17 年不動産登記法改正
　　（下）」ジュリスト 1298 号 140 頁、渡辺秀喜＝加藤三男＝中山耕治＝
　　石川徳行＝金親均＝長谷川実「筆界特定制度概説（上）」登記研究
　　702 号 1 頁、清水規廣＝松岡直武＝佐藤正俊＝出井直樹著『Q＆A
　　新しい筆界特定制度』（三省堂・2006 年）等を参照されたい。なお、
　　筆界調査委員は、筆界特定について必要な事実の調査を行い、登記
　　官に意見を提出することを職務とし、その職務を行うのに必要な専
　　門的知識及び経験を有する者のうちから任命される（不動産登記法
　　127 条）。土地家屋調査士は、土地境界に関して豊富な専門的知識及
　　び経験を有することからして、筆界調査委員として活躍することが
　　当然に期待されている。筆界特定制度は、平成 18 年 1 月 20 日から

　スタートしたが、日本土地家屋調査士会連合会の調査によると、同
年8月1日現在、全国で、879人の土地家屋調査士が筆界調査委員に
任命されているとのことである。

（注7）　筆界特定手続の代理関係全般については、**（注6）**掲記の『Q &
　　A　新しい筆界特定制度』138頁以下を参照されたい。

（注8）　小杉健治氏は、その後も、土地家屋調査士を主人公とする小説
　　『正義を測れ』（光文社・2003年）を著されているので、ぜひ、ご一読
　　いただければ幸いである。

第2　司法書士法の改正

〔登記研究 704 号（テイハン・2006）79 頁の再録〕

一　はじめに

　その日、文字通り射るように厳しい残暑の陽射しを浴びなが
ら、最寄りの駅から国立オリンピック記念青少年総合センター
に向かって歩いていた。いまから 17 年前の、平成元年 9 月は
じめのことである。

　そのころ、私は東京地方裁判所に勤務していた。数か月ほど
前、藤田耕三所長代行から電話があり、所長代行室を訪ねると、
藤田さんは、こう言われた。「日本司法書士会連合会が今年か
ら新人の司法書士のための研修を始めるそうだ。小林君、その
講師を務めてくれないか」。

　その栄えある第 1 期新入会員中央研修において、私は民事裁
判の要件事実に関する講義を受け持つことになり、当日、研修
会場に向かって歩いていたのである。私の講義は、あらかじめ
用意したレジュメに基づいて、土地明渡訴訟、移転登記請求訴
訟、賃金請求訴訟等の典型的な訴訟類型について、具体的な事
例に基づいて、訴訟物及び要件事実を検討した上で、訴状の記
載例について考察するものであった。教室には溢れるばかりの
新人の司法書士の方々が詰めかけており、そのやる気は、外の
残暑にも負けないほどの熱気を帯びていた。

　まさか、後年、司法書士制度を所管する法務省民事局民事第
二課の課長になろうとは、その上、司法書士法について制度の

159

根幹に関わるような大幅な改正を担当することになろうとは、正直言って、当時は夢にも思わなかった。

　編集部からの依頼は、私が担当した平成14年改正を中心にした解説であるが、この改正については、小林昭彦＝河合芳光著『注釈　司法書士法（第2版）』（テイハン・2005年）において、司法書士法の逐条解説も含めて、かなり詳細な解説をしているので、本稿と併せて、この注釈書をご覧いただければ幸いである。以下では、平成14年改正に至るまでの司法書士制度の歴史を概観した（二）上で、平成14年改正の解説をし（三）、さらに、その後の重要な改正についても触れる（四）こととしたい。(注1)。

二　司法書士制度の歴史（概観）(注2)

①　「司法書士」の誕生まで

　司法書士制度の起源は、明治5年（1872年）に定められた「司法職務定制」（明治5年8月3日太政官無号達）上の「代書人」にさかのぼるとされている(注3)。その後の「訴答文例」（明治6年7月17日太政官布告第247号）及び「代書人用方改定」（明治7年7月14日太政官布告第75号）の規定からは、代書人の制度が訴状等の裁判関係書類の作成をその職務の一として出発したものとうかがわれるが、その実態は必ずしも明らかにはなっていない。

　その後、「登記法」（明治19年法律第1号）が制定されて、不動産登記制度が設けられたが、当時の不動産登記制度は、原則

として裁判所が所管する制度であったため、代書人の職務に登記関係書類の作成が加えられたものと推測されている。

　裁判所に提出する書類、すなわち裁判関係書類及び登記関係書類の作成を職務とする代書人は、徐々にいわゆる「司法代書人」としてその職域を確立し、行政代書人（後の行政書士）とは区別されるようになっていったようであり、大正8年（1919年）には、「司法代書人法」（大正8年法律第48号）が制定された。この法律は、「司法代書人」を法的資格として確立するものであり、法制度は、現在の司法書士制度の出発点である。その後、昭和10年（1935年）に「司法代書人中改正法律」（昭和10年法律第36号）が「司法代書人法」を「司法書士法」に改め、「司法代書人」を「司法書士」に改めたため、ここに「司法書士」との名称が誕生し、現在に至っている。

②　司法書士法の主要な改正

(一)　昭和25年（1950年）改正

　新しい憲法の原則に照らして従前の「司法書士法」を見直し、新しい「司法書士法」（昭和25年法律第197号）が制定された。新法制定の形式を採り、従来の文語片仮名の文体が現代語化されている。

(二)　昭和31年（1956年）改正

　この改正の主要な項目は、司法書士の品位の保持及び業務の改善進歩を一層徹底するため、司法書士会及び司法書士会連合会について強制設立制度を導入した上で、司法書士について強制入会制度を導入したことである。

㈢　昭和 53 年（1978 年）改正

この改正の主要な項目は、法律の目的規定及び司法書士の職責の規定を新設して司法書士制度の趣旨を明らかにしたこと、司法書士の業務範囲に関する規定を整備したこと、国家試験制度を導入したこと、司法書士の登録制度を新設したこと、司法書士会の注意勧告の制度及び建議等の制度を新設したことである。

㈣　昭和 60 年（1985 年）改正

この改正の主要な項目は、司法書士の登録制度における登録事務を法務局長及び地方法務局長から日本司法書士会連合会に移譲したこと、公共嘱託登記司法書士協会の設立を認めたことである。

三　平成 14 年（2002 年）改正

①　改正の趣旨

平成 14 年（2002 年）4 月 24 日、「司法書士法及び土地家屋調査士法の一部を改正する法律」（平成 14 年法律第 33 号）が成立し、同年 5 月 7 日に公布された。

この法律のうちの司法書士法の改正部分（以下「平成 14 年改正」という。）は、規制改革における資格制度の見直しの観点から、事務所の法人化、資格試験制度及び懲戒手続の整備、資格者団体の会則記載事項の見直し等を行い、また、併せて司法制度改革の一環として、国民の権利擁護の拡充及び司法書士の有する専門性の活用の観点から、簡易裁判所における訴訟代理権

等を付与するものであり、その目的は、国民生活の利便性の一層の向上を図ることにあった。

　なお、改正事項が多岐にわたり、全体の条文数も大幅に増加したため、新たに11の章を設けた上で、全条文を1条から82条までに再編し、その体裁も一新された。

②　改正の経緯

㈠　背景事情

(1)　規制改革推進3か年計画

　政府は、平成13年3月、規制改革推進3か年計画を閣議決定した。この3か年計画は、近年、我が国が直面する経済のグローバル化、少子高齢化、情報通信技術革命（IT革命）、環境問題の深刻化等の構造的な環境変化に対応して、経済社会の構造改革を進めることにより、①経済活性化による持続的な経済成長の達成、②透明化が高く公正で信頼できる経済社会の実現、③多様な選択肢の確保された国民生活の実現、④国際的に開かれた経済社会の実現等を図る観点から、行政の各般の分野について計画的に規制改革の積極的かつ抜本的な推進を図ることを目的とするものであった。

　この3か年計画は、資格制度についても大幅な見直しを求めるものであって、公正有効な競争を確保し、その競争の活性化を通じて、サービス内容の向上、価格の低廉化、国民生活の利便向上等を図るといった大きな方針に基づいて、各府省が講ずべき措置を定めていた。司法書士に関して法務省が講ずべき措置は多岐にわたるが、そのうち、事務所の法人化、資格試験制

度及び懲戒手続の整備、資格者団体の会則記載事項の見直し等
については、司法書士法を改正する必要があった。また、業務
独占範囲の見直しとして、司法書士の訴訟代理権等について
は、規制改革委員会の第2次見解及び司法制度改革審議会の審
議結果等を踏まえ、司法サービスのアクセス向上等の観点から
検討し、平成13年度中に結論を得て所要の措置を講ずるとし
ていた。

　(2)　司法制度改革審議会の意見

　平成11年7月に内閣に設置された司法制度改革審議会は、
13人の委員により、21世紀の我が国社会において司法が果た
すべき役割を明らかにし、国民がより利用しやすい司法制度の
実現、国民の司法制度への関与、法曹の在り方とその機能の充
実強化その他の司法制度の改革と基盤の整備に関し必要な基本
的施策について、2年間にわたる精力的な調査審議を行い、平
成13年6月12日、その最終意見を「司法制度改革審議会意見
書」として取りまとめ、内閣に提出した（注4）。

　この意見書は、「隣接法律専門職種の活用等」と題して、「訴
訟手続において、隣接法律専門職種などの有する専門性を活用
する見地から、司法書士への簡易裁判所での訴訟代理権につい
ては、信頼性の高い能力担保措置を講じた上で、これを付与す
べきである。また、簡易裁判所の事物管轄を基準として、調
停・即決和解事件の代理権についても、同様に付与すべきであ
る」と提言していた。

　司法制度改革審議会の意見を受け、政府は、同月15日、この
意見を最大限に尊重して司法制度改革の実現に取り組む旨の対

処方針を閣議決定した。

以上のとおり司法制度改革審議会の意見が提言した司法書士制度の改革を実現するためには、当然ながら司法書士法を改正する必要があった。

㈡　法律案の提出

規制改革推進３か年計画及び司法制度改革審議会意見を受け、法務省民事局民事第二課は、日本司法書士会連合会との度重なる協議や内部における検討等を経て、「司法書士法及び土地家屋調査士法の一部を改訂する法律案」（司法書士法の改正に係る部分）を作成し、この法律案は、平成14年３月８日、閣議決定を経て国会に提出された。なお、政府は、司法制度改革推進法（平成13年法律第119号）に基づいて、平成14年３月19日に司法制度改革推進計画を閣議決定したが、その隣接法律専門職種の活用等の項目には、「訴訟手続において、隣接法律専門職種などの有する専門性を活用する見地から、次の措置を講ずる」とした上で、「司法書士の簡易裁判所における訴訟代理権について、信頼性の高い能力担保措置を講じた上で、これを付与するとともに、簡易裁判所の事物管轄を基準として、調停・即決和解事件の代理権についても、同様に付与することとし、所要の法案を提出する（平成14年通常国会に提出済み）。（法務省）」と記載されている（注５）。

㈢　国会における審議

この法律案は、平成14年３月28日に衆議院法務委員会に付託された後、同年４月３日、森山眞弓法務大臣による趣旨説明が行われて審議に入った。同委員会は、この法律案について、

参考人として、北野聖造日本司法書士会連合会会長等から意見を聴取するなどして審議をし、同月9日に全会一致で可決し、これを受けて、衆議院本会議も、同月11日に全会一致で可決した。参議院でも、同月15日に法務委員会に付託され、同月16日に森山眞弓法務大臣による趣旨説明が行われて審議に入った。同委員会も、参考人として、前記の北野会長等から意見を聴取するなどして審議をし、同月23日に全会一致で可決した。これを受けて、参議院本会議も、同月24日に全会一致で可決し、法律として成立した。その後、この法律は、同年5月7日、平成14年法律第33号として公布されている。

③　主要な改正事項
㈠　簡裁訴訟代理関係業務

規制改革推進3か年計画及び司法制度改革審議会意見に基づいて、司法書士が簡易裁判所における民事訴訟等の手続について代理する業務を行うことができるよう、司法書士の業務に簡裁訴訟代理関係業務を加えた。

その簡裁訴訟代理関係業務の具体的な範囲は、請求額が裁判所法33条1項1号に定める額（裁判所の事物管轄の上限。平成14年当時は90万円であったが、その後の裁判所法の改正により、140万円に引き上げられている。）を超えない民事紛争について、①簡易裁判所における民事訴訟、訴え提起前の和解（即決和解）、支払督促、証拠保全、民事保全及び民事調停の手続について代理すること、②相談（いわゆる法律相談）に応ずること、③裁判外の和解について代理することである（3条1

項6号及び7号）（後記のとおり、その後の法改正により、簡裁訴訟代理関係業務の範囲が拡充されていることに注意を要する。）。

　なお、前記のとおり、司法制度改革審議会の意見は、この業務を認めるに当たっては、「信頼性の高い能力担保措置」を講ずることを前提条件としていたため、司法書士が簡裁訴訟代理関係業務を行うには、法務省令で定める法人が法務大臣の指定を受けて実施する研修の課程を修了し、かつ、その業務を行うのに必要な能力を有するとの法務大臣の認定を受けることが必要であると定められた（3条2項）。その後、法務省令で、日本司法書士会連合会が上記の法人と定められ、日本司法書士会連合会は、平成15年4月から現在（平成18年9月1日）までの間、法務大臣の指定を受けて合計5回の研修を実施している。また、それぞれの研修修了後、法務大臣は、簡裁訴訟代理関係業務を行うのに必要な能力を習得したかどうかを判定するための能力認定考査（筆記試験）を実施し、第5回の考査までで、合計1万679人の司法書士（ただし、未登録の有資格者を含む。）が法務大臣の認定を受けている（**注6**）（なお、司法書士の総数は、平成18年8月1日現在で、1万8313人である。）。

　司法書士に法律相談業務を含む簡裁訴訟代理関係業務が認められたことに伴い、また、これを契機として、司法書士法の目的規定（1条）を整備し、簡裁訴訟代理関係業務以外の業務についても相談業務を明記した（3条1項5号）ほか、司法書士が業務を行うことができない事件に関する規定を大幅に改正し（22条）、改正前の司法書士法10条の規定（「司法書士は、その

167

業務の範囲を超えて他人間の訴訟その他の事件に関与してはならない」）を削除した。

　㈡　事務所の法人化

　司法書士法人の設立を認める目的は、あくまで国民の利便性の向上に資することにあり、司法書士が共同して法人化を図ることにより、その経験・知見等を共有して利用者に質の高い多様なサービスを安定的に供給することが期待される。規制改革推進3か年計画も、事務所の法人化を利用者の多様なニーズに対応する観点から求めていたのである。

　その設立については、準則主義を採用し、司法書士法人は、その社員となろうとする2人以上の司法書士が、共同して定款を定め（32条1項）、その主たる事務所の所在地において設立の登記をすることによって成立する（33条）。いわゆる1人法人は認められていない（44条2項も参照）。

　司法書士法人の社員は、司法書士に限られる（28条1項）。そして、社員は、原則として、すべて業務執行権を有する（36条1項）が、簡裁訴訟代理関係業務については、その業務を行うことができる社員（法務大臣の認定を受けた司法書士）のみが業務執行権を有する（同条2項）。社員は、司法書士法人の債務について、いわゆる補充責任として連帯して無限責任を負うが、この責任についても、簡裁訴訟代理関係業務については、その業務を行うことができる社員に限定されている（38条）。

　また、司法書士法人は、主たる事務所のほか、従たる事務所を設けることができるが、そのいずれの事務所にも、その所在地の司法書士の会員である司法書士を常駐させなければならな

い（39条）。

なお、平成18年7月1日現在で、175の司法書士法人が設立されている。

㈢　資格試験制度の整備

また、規制改革推進3か年計画は、司法書士試験について、資格の取得の容易化の検討を求めていたため、その検討の結果に基づいて、司法書士試験の筆記試験に合格した者に対しては、その申請により、次回の司法書士試験の筆記試験を免除することとした（6条3項）。また、簡裁訴訟代理関係業務が認められたことを契機として、司法書士試験の科目に憲法が加えられた（6条2項1号）。

㈣　懲戒手続の整備

規制改革推進3か年計画に従い、司法書士について何人からも懲戒の申出をすることができることとして、国民一般からの懲戒申出制度を設けた（49条1項）ほか、懲戒処分を官報で公告する制度を設ける（51条）等の改正をした。また、司法書士法人の制度を設けたことに伴い、これに対する懲戒制度を新設した（48条）。

㈤　会則記載事項の見直し等

規制改革推進3か年計画は、資格者間の競争を活性化する観点から、司法書士会の会則の記載事項から報酬に関する規定を削除するとしていたので、その旨の改正をした。また、会則の記載事項に司法書士会及び会員に関する情報の公開に関する規定、司法書士の研修に関する規定及び会員の業務に関する紛議の調停に関する規定を追加した（53条7号、8号及び9号）。

これに関連して、日本司法書士会連合会の会則の記載事項に
も、司法書士の研修に関する規定及び日本司法書士会連合会に
関する情報の公開に関する規定を追加した（63条）。なお、会
則については、併せて、司法書士は、その所属する司法書士会
の会則のみならず、日本司法書士会連合会の会則をも守らなけ
ればならない（23条）との改正もした。

　㈥　研修等の努力義務

　複雑化・多様化する利用者のニーズにこたえるため、司法書
士について一層の資質向上を図る必要があり、前記のとおり、
会則の記載事項に研修に関する規定を追加したことに対応し、
司法書士は、その所属する司法書士会及び日本司法書士会連合
会が実施する研修を受け、その資質の向上を図るように努めな
ければならないとの規定（25条）を新設した。

　㈦　紛議調停制度の新設

　司法書士会は、司法書士の業務について専門的知識を有し、
その指導及び連絡に関する事務を行う立場にあることにかんが
み、司法書士の業務に関する紛議（トラブル）につき、その司
法書士、当事者等の請求により司法書士会が調停を行う制度を
新設した（59条）。

四　その後の重要な改正

①　平成 16 年（2004 年）改正

　平成 16 年（2004 年）11 月 26 日に「民事関係手続の改善のた
めの民事訴訟法等の一部を改正する法律」（平成 16 年法律第

152 号）が成立し、同年 12 月 3 日に公布された。この法律は、民事関係手続の一層の迅速化及び効率化を図り、より国民に利用しやすい手続とすることを目的とするものであったが、その一内容として簡易裁判所における少額訴訟債権執行制度、すなわち、少額訴訟の利便性を向上させ、迅速かつ効果的な権利実現を図るため、少額訴訟に係る債務名義により、簡易な手続である金銭債権に対する強制執行をすることができる制度を創設した（注7）。

この制度創設に伴い、司法書士法も改正されて、司法書士の業務に、民事執行法上の少額訴訟債権執行の手続であって、請求の価額が裁判所法 33 条 1 項 1 号に定める額（140 万円）を超えないものについて代理する業務が加えられた。ただし、この業務は、大臣認定を受けた司法書士（司法書士法 3 条 2 項の司法書士）に限り行うことができる。

②　平成 17 年（2005 年）改正

(一)　改正の概要

平成 17 年（2005 年）4 月 6 日に「不動産登記法等の一部を改正する法律」（平成 17 年法律第 29 号）が成立し、同月 13 日に公布された。この法律は、不動産登記法について、筆界特定制度を創設する等の改正を行い、併せて、司法書士法についても、司法書士の業務に、筆界特定手続の代理、仲裁手続の代理及び上訴の提起の代理の業務を加える等の改正を行うものであった（注8）。

(二)　改正の内容

(1)　筆界特定手続の代理等

　筆界特定制度とは、土地の筆界の迅速かつ適正な特定を図り、筆界をめぐる紛争の解決に資するため、登記官が、土地の所有権登記名義人等の申請により、筆界調査委員の意見を踏まえて土地の筆界を特定する制度である（この制度については、本誌において、清水響氏の執筆される解説が予定されているため、詳しくは、その別稿を参照いただければ幸いである。）（注9）。

　この筆界特定制度が創設されたことに伴い、司法書士の業務に、筆界特定の手続の書類等作成業務及び一定範囲の筆界特定の手続の代理業務（筆界特定の手続のうち、対象土地の価額として法務省令で定める方法により算定される額の合計額の2分の1に相当する額に筆界特定によって通常得られることとなる利益の割合として法務省令で定める割合を乗じて得た額が裁判所法33条1項1号に定める額（140万円）を超えないものについて、相談に応じ、代理する業務）を加えた（3条1項4号及び8号）。ただし、後者は、大臣認定を受けた司法書士（司法書士法3条2項の司法書士）に限り行うことができる。

(2)　仲裁手続の代理

　司法制度改革推進本部（本部長＝小泉純一郎内閣総理大臣）は、平成16年11月26日、「今後の司法制度改革の推進について」と題する決定をしたが、その決定において、裁判外紛争解決手続の利用を促進していくためには、手続実施者のみならず、代理人についても、利用者が適切な隣接法律専門職種を選択できるよう制度整備を図っていく必要があるとした上で、司

法書士については、簡裁訴訟代理関係業務に民事紛争（簡易裁判所の事物管轄を基準とする。）に関する仲裁手続について代理することを加えるとの方向性に沿って、裁判外紛争解決手続における当事者の代理人としての活用を図ることとし、できるだけ早期の具体化に向け、今後、関係法案の提出を含め、所要の措置を講じていく必要があるとしていた。

　そこで、司法書士の業務に、請求額が簡易裁判所の事物管轄の上限を超えない民事紛争について、仲裁事件の手続について代理する業務を加えた。ただし、この業務も、大臣認定を受けた司法書士（司法書士法3条2項の司法書士）に限り行うことができる。

　　(3)　上訴の提起の代理

　依頼者の便宜等を考慮して、大臣認定を受けた司法書士（司法書士法3条2項の司法書士）が、自ら代理人として手続に関与している事件の判決、決定又は命令に対する上訴の提起の代理をすることができるよう、司法書士法3条1項6号の規定を改正した。

五　おわりに

　司法書士に簡易裁判所の訴訟代理業務等を認めた平成14年改正は、日本の司法制度にとって画期的なものであり、前記のとおり、その背景には、司法制度改革審議会の意見がある。この司法制度改革審議会の第1回会議は、平成11年7月27日に内閣総理大臣官邸で開催されたが、その前日に法務省民事局参

事官から法務省大臣官房司法法制部参事官（当時は司法法制調査部参事官）に異動した私は、幸運にも、その第1回会議にオブザーバーとして出席し、小渕恵三内閣総理大臣のご挨拶を拝聴する機会に恵まれた。そして、以後の2年間、法務省において司法制度改革審議会に対応する役割を担っていた。司法制度改革審議会の審議が、司法書士に対して簡易裁判所の訴訟代理権を付与する方向で進行した背景にはさまざまな事情があろうが、司法書士が、その出発点である代書人の時代から130年もの長期間にわたって、訴状、答弁書等の裁判関係書類の作成を職務の一とする法律専門家として、全国各地で国民に法的サービスを提供し続けてきたことが評価され、これがもっとも大きな原動力になったことはまちがいないと思われる。

　その意見書の提出後、私はたまたま法務省民事局民事第二課の課長に異動し、マスコミで「司法制度改革第1弾」などと紹介された平成14年改正とその後の研修や考査の実施を担当する機会にも恵まれた（注10）。

　司法書士制度がますます発展し、司法書士の方々が国民の期待に応えてますます活躍されることを心から期待している。

（注1）河合芳光「司法書士法・土地家屋調査士法の改正」（細川清編『進展する民事立法と民事法務行政』（テイハン・2005年）333頁）は、平成14年改正とその後の改正（本稿では触れていない改正も含まれている。）を中心とする司法書士法の改正についての手際のいい解説であり、参考になる。また、私も出席している平成14年改正に関す

る座談会「司法書士法改正と司法書士の将来職能像」（市民と法 16
号 2 頁）も参照していただければ幸いである。さらに、田代季男「昭
和五三年司法書士法の成立をめぐる背景と歴史的展開」（前記『進展
する民事立法と民事法務行政』663 頁）は、昭和 53 年改正当時に日
本司法書士会連合会副会長であった田代氏が、昭和 53 年改正の背景
事情等について感想を含めて率直に記述されたものであり、ぜひ参
照していただければ幸いである。なお、司法書士制度に関する最新
のさまざまな情報は、日本司法書士会連合会のウェブサイト（https:
//www.shiho-shoshi.or.jp/）で得ることができる。

（注2） 司法書士制度の歴史について、詳しくは、前掲『注釈　司法書士
　　　　法（第2版）』1 頁以下を参照されたい。

（注3） 司法職務定制は、明治初期に司法制度の整備を目指したもので
　　　　あって、「司法制度に関する最初の統一的法典」とされている。この
　　　　中には、代書人のほか、「証書人」及び「代言人」に関する規定もあ
　　　　り、この証書人は「公証人」の起源であり、代言人は「弁護士」の起
　　　　源であるとされている。なお、「太政官達」及び「太政官布告」は、
　　　　明治初期に太政官が発した法形式であり、当時はまだ法形式として
　　　　の「法律」は存在していない。明治 18 年（1885 年）に太政官制度が
　　　　廃止されて内閣制度が始まり、これに伴い、翌年、「公文式」（明治 19
　　　　年勅令第 1 号）が制定されて、法形式としての「法律」も始まった。
　　　　その日本で最初の「法律」が本文に記載した「登記法」（明治 19 年法
　　　　律第 1 号）である。むろん、帝国議会の議決を経て天皇の裁可に
　　　　よって成立する法形式としての「法律」の誕生は、大日本帝国憲法が
　　　　明治 23 年（1890 年）に施行されてからである。

（注4） 司法制度改革審議会意見書は、ジュリスト 1208 号に全文が掲載

されている。そのほか、http://www.kantei.go.jp/jp/sihouseido/rep
ort/ikensho/index.html で読むこともできる。

（注5） 司法制度改革関連法案については、司法制度改革推進本部と関係
省庁が分担して立案したが、司法書士法を改正する法律案の立案は、
司法制度改革推進本部ではなく、法務省が担当したのである。司法
制度改革推進本部が立案した法律案は合計 18 本あり、そのうち 17
本が成立した。関係省庁（法務省、文部科学省、厚生労働省及び経済
産業省）が立案した法律案は合計 7 本であり、その全部が成立した。

（注6） 司法書士の簡裁訴訟代理業務の実態については、「特集　司法書
士の簡裁代理1」（月報司法書士 391 号）及び「特集　司法書士の簡
裁代理2」（月報司法書士 392 号）に掲載されている多数の論文等
が、その時点までのものではあるが、大いに参考になるので、参照し
ていただければ幸いである。

（注7） この法律の解説書として、小野瀬厚＝原司編著『一問一答　平成
16 年改正民事訴訟法・非訟事件手続法・民事執行法』（商事法務・
2005 年）があるので、司法書士法の改正についての詳しい解説も含
め、参照されたい。

（注8） この法律の解説として、清水響「不動産登記法等の一部改正」
ジュリスト 1299 号 107 頁及び清水響編著『一問一答　不動産登記法
等一部改正法［筆界特定］』（商事法務・2006 年）を参照されたい。

（注9） 筆界特定制度については、そのほか、笹井朋昭「筆界特定制度の
創設」**（注1）** 掲記の『進展する民事立法と民事法務行政』522 頁）、
「不動産セミナー（第六回）平成 16 年・17 年不動産登記法改正（下）」
ジュリスト 1298 号 140 頁、渡辺秀喜＝加藤三男＝中山耕治＝石川徳
行＝金親均＝長谷川実「筆界特定制度概説（上)」登記研究 702 号 1

頁、清水規廣＝松岡直武＝佐藤正俊＝出井直樹著『Ｑ＆Ａ　新しい
筆界特定制度』（三省堂・2006 年）等を参照されたい。

(注 10) 多数のマスコミ報道の中で、日本経済新聞（平成 14 年 5 月 5 日
朝刊）に掲載された藤川忠宏論説委員の「司法書士が法廷に立つ日」
と題する記事が、とりわけ印象的であった。この記事は、「4 月、日
本の司法制度に時代を画すような法律が成立した。司法書士法の改
正である」という書き出しから始まり、最後にこう結んでいる。「法
律専門職の統合は世界的な傾向である。これまで縦割り行政により
細分化されてきた法律職の資格が、一本化に向かうことは避けられ
ない。世界貿易機構（ＷＴＯ）のサービス貿易協議がその動きを加
速しよう。そのような中で、司法書士がどのような役務の担い手と
して国民の支持を取り付けるのか。それは、今回与えられた職務を
全うできるかにかかっている。重くなった役割を自覚し、責任を地
道に果たしていくことで国民の信頼を勝ち得るべきだろう。法律専
門職全体の職務領域の見直しは、国民の権利擁護が何よりの基準
だ。」

民事訴訟の実務

| 2021年3月16日　初版第1刷印刷 | 定価：2,970円（本体価：2,700円） |
| 2021年3月22日　初版第1刷発行 | |

不　複
許　製

著　者　　小　林　昭　彦

発行者　　坂　巻　　徹

発行所　　東京都文京区　株式　テイハン
　　　　　本郷5丁目11-3　会社

電話 03(3811)5312 FAX03(3811)5545／〒113-0033
ホームページアドレス　http://www.teihan.co.jp

〈検印省略〉　　　　　　　　　　印刷／錦明印刷株式会社
ISBN978-4-86096-129-9

本書のコピー，スキャン，デジタル化等の無断複製は著作権法上での例外を除き禁じられています。本書を代行業者等の第三者に依頼してスキャンやデジタル化することはたとえ個人や家庭内での利用であっても著作権法上認められておりません。